Juste devant eux, le pâté de maisons grouillait de centaines de zombies. Ils dérivaient comme des somnambules hagards et comateux.

— Dégueu… frissonna Madison.

— Dégueu ! dit Rice en souriant.

Un adolescent zombie, qui portait une chemise polo et une casquette de serveur BurgerDog, se tourna pour leur faire face. Son genou gauche se dérobait vers l’arrière et, pris d’un irrépressible boitement, il chancelait sur le côté. Sa tête penchait à droite, là où manquait un énorme morceau de cou. Le casque de réception des commandes, équipé de son micro, était toujours accroché à sa tête. Non, Zack ne voulait assurément pas de frites.

LES CHASSEURS DE
ZOMBIES

Traduit de l'anglais par
Anne Butcher et Sophie Beaume

Copyright © 2010 Alloy Entertainment et John Kloepfer
Titre original anglais : The Zombie Chasers
Copyright © 2013 Éditions AdA Inc. pour la traduction française
Cette publication est publiée en accord avec HarperCollins, Publishers, New-York, NY
Tous droits réservés. Aucune partie de ce livre ne peut être reproduite sous quelque forme que ce soit sans la permission écrite de l'éditeur, sauf dans le cas d'une critique littéraire.

Éditeur : François Doucet
Traduction : Anne Butcher et Sophie Beaume
Révision linguistique : Isabelle Veillette
Correction d'épreuves : Nancy Coulombe, Catherine Vallée-Dumas
Illustrations de la couverture et de l'intérieur : © 2010 Steve Wolfhard
Montage de la couverture : Matthieu Fortin, Mathieu C. Dandurand
Mise en pages : Mathieu C. Dandurand
ISBN papier : 978-2-89667-814-3
ISBN PDF numérique : 978-2-89683-843-1
ISBN ePub : 978-2-89683-844-8
Première impression : 2013
Dépôt légal : 2013
Bibliothèque et Archives nationales du Québec
Bibliothèque Nationale du Canada

Éditions AdA Inc.
1385, boul. Lionel-Boulet
Varennes, Québec, Canada, J3X 1P7
Téléphone : 450-929-0296
Télécopieur : 450-929-0220
www.ada-inc.com
info@ada-inc.com

Diffusion
Canada : Éditions AdA Inc.
France : D.G. Diffusion
Z.I. des Bogues
31750 Escalquens — France
Téléphone : 05.61.00.09.99
Suisse : Transat — 23.42.77.40
Belgique : D.G. Diffusion — 05.61.00.09.99

Imprimé au Canada

Participation de la SODEC.
Nous reconnaissons l'aide financière du gouvernement du Canada par l'entremise du Fonds du livre du Canada (FLC) pour nos activités d'édition.
Gouvernement du Québec — Programme de crédit d'impôt pour l'édition de livres — Gestion SODEC.

Pour Abigail. — J. K.

À mes parents, pour leur amour et leur patience. — S. W.

ZOMBIE

BURGE
DOG

Le crépuscule tombait sur le quartier. L'air humide était épais comme de la purée de pois. Tandis qu'il rentrait tranquillement chez lui, Zack Clarke tourna sur Locust Lane en s'attendant à retrouver l'animation habituelle du vendredi soir dans son pâté de maisons : les jumeaux Zimmer s'exerçant à leurs cascades diaboliques de planche à roulettes sur la voie express ; Mme Mansfield sortant du club vidéo, les bras chargés de sacs débordant de malbouffe et de DVD destinés à ses enfants paresseux ; et le vieux Stratton, rôdant sur le trottoir, un journal déchiré accroché à sa main veineuse. Mais en cette lourde et humide fin de journée arizonienne, il n'y avait âme qui vive.

Ployant sous le poids de son sac à dos et pressé de rentrer à la maison, Zack accéléra le pas. Plus tôt ce jour-là, une bataille de nourriture avait eu pour effet de le retenir après les cours, pour un nettoyage des sols en lino de l'école. Tout ce qu'il désirait maintenant, c'était la seule part de gâteau au chocolat restante qui l'attendait dans le réfrigérateur, enveloppée de plastique et portant l'inscription : GÂTEAU D'ANNIVERSAIRE DE ZACK, NE PAS TOUCHER !

À présent, Zack voyait sa maison et distinguait parfaitement la Volvo familiale de sa mère garée dans

l'allée. Tout était éteint dans la maison, sauf dans la chambre de sa sœur au-dessus du garage. Du trottoir, il vit la lampe de la chambre de Zoé s'éteindre, ce qui donna à la maison un air vide et abandonné.

Zack savait pourtant bien que sa grande sœur, Zoé, avait invité son trio de vilaines copines de secondaire deux pour une de leurs fameuses soirées pyjama à la maison — Madison Miller, Ryan York et Samantha Donovan. Si bien qu'avant que maman et papa ne soient rentrés de l'école, où ils assistaient à la réunion de parents d'élèves, il n'y aurait que lui. Et elles.

Lorsqu'il arriva sur le perron, l'éclairage d'un des lampadaires de rue vacilla et s'éteignit, plongeant toute la pelouse dans l'obscurité. Il ouvrit lentement la porte d'entrée.

— Allô ! lança-t-il dans le noir. Zoé ?

La porte se referma brusquement, et il sentit un sac en papier recouvrir sa tête. Une voix s'écria :

— Nous t'avons eu !

En un éclair, quatre paires de mains attrapèrent Zack par les coudes et les chevilles pour le renverser et le traîner dans le hall d'entrée. Zack s'agita en vain pour tenter d'échapper à cette étreinte diabolique. Ses ravisseuses l'assirent fermement sur une vieille chaise de bureau en bois, le sac toujours sur sa tête. Quelqu'un retenait ses poings derrière la chaise en lui tirant les bras vers l'arrière, comme s'il était un prisonnier menotté. Essayant de se dégager, il se tortillait, donnait des coups de pied. Frustré et éreinté, Zack se relâcha, décidant de faire le mort pendant un instant, avant de se remettre à gigoter violemment, comme pris d'un ultime sursaut d'énergie.

C'est à ce moment-là qu'il entendit un bip numérique et que quelqu'un souleva le sac qui lui cachait le visage. Sa sœur, Zoé, était debout devant lui. Zack se vit dans l'écran de l'ordinateur portable de leur père, ouvert juste derrière elle, sur la table basse du salon.

— Zoé, qu'est-ce que tu fais ? Tu sais bien que papa interdit que nous jouions avec la webcam.

— Je ne joue pas, petit frère, dit-elle, rejetant ses cheveux en arrière et redressant la tête, comme la vedette du dernier programme télévisé à la mode se préparant pour un gros plan. Je réalise une nouvelle émission pour VH1, dont le titre sera *Transformation d'un otage*. Tu veux participer ? demanda-t-elle avec un sourire sinistre.

— Plutôt mourir dans mon vomi ! répondit Zack.

— Tant pis, petit, ricana Zoé. Allez, les filles, bougez-vous !

Samantha et Ryan pénétrèrent dans le salon et se glissèrent derrière Zack. Ryan tenait un gros rouleau de ruban à conduits et lorsque Zack se retourna, elle le cacha derrière son dos.

— Non, jeune Zachary, on ne regarde pas ! le rabroua-t-elle en lui tapotant le crâne.

— Ça va, Zacky, tiens-toi tranquille!

Zoé fit signe à ses deux sbires. Une seconde plus tard, Ryan et Samantha encerclaient Zack, attachant solidement ses avant-bras et ses épaules au dossier de la chaise, puis passant en vitesse aux jambes pour s'assurer qu'il ne pourrait s'échapper. La paire de mains mystérieuse lâcha finalement ses poignets. Zack sentit un excès subit de sang palpiter au bout de ses doigts.

Il essaya à nouveau de se libérer en se tortillant, mais le ruban à conduits était trop solide.

Zoé ajusta la webcam pour filmer son frère en train de se débattre. Puis, elle s'accroupit face à l'ordinateur et dit :

— Bienvenue à la première de *Transformation d'un otage*. Je suis Zoé Clarke, votre hôtesse. Vous venez de faire connaissance avec notre prisonnier, mon pitoyable jeune frère, Zachary Arbutus Clarke.

Elle s'éloigna de l'ordinateur portable.

— Dites-nous comment vous vous sentez, jeune otage.

— Zoé, vraiment, laisse tomber, répondit Zack.

— *Zoé, vraiment, laisse tomber*, reprit une voix moqueuse.

Madison Miller surgit de derrière la chaise, portant une boîte de maquillage à pois. Madison était la plus jolie fille de l'école, avec ses longs cheveux châtains presque blonds et quelques pâles taches de rousseur sur son petit nez. Elle était aussi une des plus grandes de secondaire deux et toisait Zack en le dévisageant de ses grands yeux bleus.

— Tais-toi, Madison. On ne s'adresse pas à toi.

— *Tais-toi, Madison. On ne s'adresse pas à toi,* reprit Madison avec une voix de bébé.

— Arrête de m'imiter, insista Zack.

— *Arrête de m'imiter.*

Madison ne voulait pas arrêter.

— Je suis stupide, dit Zack, essayant de se montrer plus malin.

— Oui, Zachary, j'en ai bien peur.

Fin du match.

Madison ouvrit une boîte à rayures marron et blanches et en sortit quelque chose ressemblant à des crayons de couleur. Puis, elle avala une gorgée de VitalVegan, son breuvage favori, un cocktail de jus de fruits survitaminé fraise-kiwi.

— Tu sais, Madison, dit Zack, j'ai entendu dire que si tu bois trop de ce truc, ça peut avoir un très mauvais effet sur tout ton apparence physique.

— Quelqu'un a parlé d'apparence physique ? pouffa Zoé.

Madison sortit alors un impressionnant assortiment de produits de maquillage, qu'elle étala sur la table basse. Zack n'avait pas la moindre idée de leur utilité en dehors du fait qu'ils encombraient la salle de bain de Zoé.

— Écoute bien, petit frère.

Zoé forma un petit rectangle avec ses index et ses pouces pour observer au travers tel un réalisateur de films hollywoodiens.

— Si tu coopères gentiment, nous ferons de toi un très joli garçon. Mais si tu m'empêches de filmer comme je veux, tu auras l'air d'un imbécile pour de bon. Je t'enfermerai dans ta chambre, mettrai la vidéo sur YouTube et l'enverrai par courriel à tout le monde de l'école. Maintenant, tâche de te montrer bon otage!

— Zoé, laisse-moi partir ou je dirai aux parents que tu sors en douce le soir, balbutia Zack en désespoir de cause.

— Pauvre petit frère! ricana Zoé. Tu sais bien qu'un bon otage ne saurait proférer de menaces.

Elle appuya sur la barre d'espacement du clavier et s'écria :

— Action!

Zack aurait dû se montrer meilleur otage.

Quand il aperçut son reflet dans la fenêtre de la chambre, il constata que Zoé avait tenu promesse. Les filles l'avaient rendu complètement ridicule, et il était à présent prisonnier dans sa propre maison.

Pendant que Samantha badigeonnait les paupières de Zack de poudre bleu argenté, Madison barbouillait ses lèvres d'un rouge à lèvres vif rouge orangé. Ryan avait aspergé par-derrière ses cheveux de gel coiffant extrafort, sculptant sur son crâne sept pointes comme la statue de la Liberté. Il avait l'air d'un clown dément. *Zoé va payer pour ça*, rumina-t-il. Mais avant de pouvoir envisager la moindre vengeance, encore fallait-il qu'il parvienne à s'échapper de sa chambre verrouillée et qu'il efface cette vision d'horreur de son visage.

Après tout ce qu'il venait de vivre, il avait plus que jamais envie du gâteau.

Zack s'agenouilla devant la fenêtre et observa le quartier. Sans son ordinateur et son téléphone portables, que Zoé avait confisqués avant de l'enfermer dans sa chambre, c'était à peu près tout ce qu'il pouvait imaginer faire pour tuer le temps. Il éprouva une sorte de réconfort à observer sans être vu et à regarder les événements de loin. Il existait bien un mot pour désigner ce sentiment, mais il ne le trouvait pas. Il contemplait simplement la rue désertée en ce vendredi soir, attendant que quelque chose se passe et souhaitant désespérément qu'un individu ou un objet à espionner apparaissent. Mais Locust Lane restait irrémédiablement vide. Personne à l'horizon.

Zack erra dans la pièce pour observer sa ferme de fourmis quasi oubliée. Il ne se souvenait plus de la dernière fois où il les avait nourries ; cela faisait des semaines, peut-être des mois. La plupart étaient mortes de faim, et les fourmis qui tentaient de survivre s'agitaient vigoureusement au-dessus de petites carcasses noires et brillantes, arrachant les pattes des thorax. Zack songea alors à les nourrir, mais il ne parvenait pas à se rappeler l'endroit où il avait rangé les boulettes. Probablement au fond du placard avec tout le reste.

Tout à coup, il eut une idée.

Il ouvrit brutalement la porte du placard et dégagea des piles de bandes dessinées et de boîtes à chaussures remplies de vieilles cartes de *DragonBall Z*, bien trop embarrassantes pour être encore utilisées, mais bien trop sympas pour être jetées. Un petit aboiement de chien surgit du fond du placard. C'était Twinkles, le nouveau chiot de Madison. Depuis que Twinkles avait eu un petit accident sur la moquette, Zoé avait relégué le petit chien dans sa chambre. Exactement comme Zack.

Plongeant sa main plus avant dans le placard, Zack la posa sur un paquet de bouteilles d'eau que sa mère hyper inquiète avait dû placer là pour d'obscures raisons. Coincée entre la bouteille et une batte de base-ball jaune de marque Wiffle, il y avait une échelle de corde enroulée : élément clé du plan de son père pour évacuation en cas d'incendie. Si le fait d'être retenu prisonnier sans rien avoir à manger n'entrait pas dans la catégorie des urgences vitales, Zack ne savait pas ce qui devait y figurer. Il extirpa quelques bouteilles d'eau du paquet et agrippa l'échelle de corde tout en rampant à reculons vers la chambre.

Zack versa le contenu d'une bouteille sur sa tête et frotta le maquillage avec une serviette de toilette trouvée en tas sur le sol et qui sentait passablement le moisi. À présent assis sur son lit, il remarqua le téléphone sans fil qui pointait sous son couvre-lit froissé aux motifs des Transformers.

Il attrapa le téléphone sous les couvertures et composa un numéro. Trois longues sonneries retentirent puis son meilleur ami répondit.

— Résidence Rice. Ici Rice.

— Hé mec, c'est moi, lâcha Zack.

— De quoi s'agit-il, l'intello ?

— Et toi, la peste ?

Zack frémit rien que de penser aux croûtes roses incrustées dans le pus orange et sec recouvrant tout le corps de Rice. Il avait raté l'école toute la semaine pour cause de varicelle.

— Ça me pique, répondit Rice. Ça pique vraiment.

— Au moins, Zoé ne t'a pas attaché en te badigeonnant de maquillage.

— Hé mec, je t'ai vu sur YouTube ! Tu es célèbre maintenant. Ta voix avait juste l'air un peu geignarde dans la vidéo…

— Je sais qu'on n'est pas supposé détester sa propre famille, dit Zack en regardant par la fenêtre. Mais j'ai vraiment du mal à croire que nous sommes du même sang, franchement.

— Ouais, mon pote, Zoé est sans pitié, approuva Rice. Et dis-moi, elle avait fait venir quelques copines ?

— Madison Miller, Samantha Donovan, Ryan York, répondit Zack en récitant la liste noire.

— Waouh, gémit Rice dans le téléphone. Tu ne connais pas ta chance, mec ! J'échange ma vie contre la tienne rien que pour une soirée pyjama.

— Rice, elles t'auraient bouffé tout cru, dit Zack.

— Je parie qu'elles jouent à Twister en ce moment, non ? soupira Rice. Je renoncerais à jamais au chocolat rien que pour voir ces filles faire une partie de Twister.

— Il s'agit de ma sœur, mec !

— Du calme, Zack, je plaisantais, c'est tout. Je ne pensais pas à Zoé en particulier. Madison est plutôt jolie, par contre. Non que ta sœur ne soit pas mignonne, mais bon, tu vois ce que je veux dire…

— Je raccroche !

Zack reposa le téléphone sur le bureau, ouvrit la fenêtre et accrocha le bout de l'échelle à l'encadrement. Tandis qu'il jetait le reste du tas de corde emmêlée par-dessus le bord de la fenêtre, il entendit des pas sur le trottoir, juste en dessous. Une silhouette se dévoila : ce n'était que le vieux Stratton, sorti pour sa balade nocturne. Boitant lamentablement, il avait l'air plus lent que d'habitude. Le vieux bonhomme grogna dans sa barbe et disparut dans l'obscurité entre deux lampadaires.

Zack entamait sa lente et incertaine descente le long de l'échelle quand le téléphone retentit. Il remonta jusqu'à l'appui de la fenêtre en s'accrochant de sa main libre à l'échelle.

— Rice ? répondit Zack. Je ne peux pas vraiment te parler maintenant.

— Mec, tu as vu à la télé ?

— Non, en fait, je descends par la fenêtre.

— Ne fais pas ça, malheureux ! Il y a des zombies, genre, partout… Attends, ne bouge pas, ils disent comment faire pour les tuer.

— Désolé, Rice, dit Zack. Je dois y aller.

Il raccrocha et déposa le téléphone sur le rebord de la fenêtre. Pas de temps pour les blagues stupides de son copain.

À mi-parcours, Zack entendit quelque chose en provenance des buissons en dessous : un bruissement vif suivi du cri perçant et bruyant d'un animal. Il retint son souffle. Silence. Un autre bruit se fit entendre, semblable au premier, mais pas aussi fort. Deux lièvres jaillirent du bosquet et traversèrent la pelouse en trombe. Il souffla. Juste deux stupides lapins.

Les pieds de Zack touchèrent le paillis entourant les haies à l'avant de la maison. Il laissa l'échelle de corde se balancer et fila en courant autour de la maison, chaque pas le rapprochant de son dernier morceau de gâteau d'anniversaire.

La porte-fenêtre de la cuisine coulissa, et Zack lâcha un gros soupir de soulagement. Il refit ensuite glisser le panneau de verre et verrouilla la porte. Quand il se retourna, sa mâchoire se décrocha sous le choc de ce qu'il découvrit dans la cuisine.

Dans la cuisine de la famille Clarke, Madison Miller était assise à la place de *Zack*, à la table de *Zack*, les yeux fermés, à savourer la première bouchée du dernier morceau de gâteau de *Zack*.

— Miaaaammm, soupira-t-elle voluptueusement.

— Qu'est-ce que tu fais ?

Zack brisa le silence.

— C'est mon gâteau au chocolat triple fondant double crème aux Oreos !

— Veux-tu dire gâteau au chocolat triple fondant double crème de *soya* aux Oreos ?

Le défiant à travers la pièce, Madison mâchait lentement le morceau mœlleux et collant.

— Madison, tu sais que ce gâteau n'est pas végétalien, clarifia-t-il, jubilant à la pensée de son bon coup.

Madison et Zoé avaient fait vœu de devenir végétaliennes l'été dernier, ce qui avait abouti à un strict respect du régime végétalien. Depuis, le pauvre Zack devait se contenter d'un congélateur exclusivement rempli de glaces à la crème de riz.

— À cet instant précis, tu es en train d'avaler des poussins et de la crème au lait de vache! continua-t-il avec un sourire malicieux.

— Beeeuuurk!

Madison poussa un cri strident à vous briser les tympans et cracha le morceau de gâteau à demi mâché sur le mur de la cuisine. Elle se précipita vers l'évier et ouvrit le robinet.

— Rince-toi bien, insista-t-il sarcastiquement.

Mais au lieu de placer sa bouche sous le jet du robinet, Madison s'empara de ce qui restait du délicieux gâteau au chocolat de Zack, le souleva au-dessus de sa tête et le jeta violemment dans l'évier. Ce faisant, elle appuya sur le bouton de démarrage du broyeur. Le moteur se mit à ronronner en dessous et le gâteau se transforma instantanément en un infâme liquide chocolaté.

Madison se tourna vers Zack.

— Zoé m'a dit que ta maman ne faisait *plus que* des gâteaux sans « matière animale » ! dit-elle en faisant le signe de guillemets avec ses doigts.

Baissant la voix, elle ajouta :

— Je vais la tuer !

— En fait, c'est ce qu'elle fait en général, expliqua Zack. Mais là, tu vois, Madison, il s'agissait de *mon* gâteau d'anniversaire...

Il marcha vers le milieu de la cuisine en frottant ses paumes l'une contre l'autre d'un air narquois et continua :

— Et le jour de *mon* anniversaire, nous ne mangeons pas végétalien. Nous mangeons normalement.

Les sourcils de Madison se froncèrent de rage.

— Oh, désolée. C'était *ton* gâteau, Zack ? Ton *imbécile de gâteau dégoûtant* ?

Se penchant sur l'évier, elle essuya les petits bouts de chocolat restés accrochés à ses lèvres. Puis, plongeant une main dans son sac, elle en retira une nouvelle bouteille de cocktail de jus de fruits survitaminé fraise-kiwi et en avala d'un trait la moitié.

— Je suppose que ce n'est pas de ta faute si tu ne sais pas lire, mais le gâteau était clairement marqué à *mon* nom. Tu vois ? dit-il en brandissant le morceau de plastique ayant enveloppé le gâteau et portant l'inscription.

Madison se rassit en sirotant sa boisson.

— Et puis d'abord, comment es-tu sorti, abruti ? Et où est passé tout ton maquillage ? Je m'étais pourtant donné du mal pour ta nouvelle apparence.

— J'ai trouvé une échelle de corde. Je me suis lavé la figure. Et je te déteste, répondit Zack.

Le portable de Madison émit une sonnerie du groupe Gym Class Heroes : « *Take a look at my girlfirend, girlfriend…* » Elle se regarda dans le reflet de son téléphone, appuya sur PARLER et beugla :

— Greg, je t'ai dit de ne pas m'appeler tant que tu continueras de te comporter comme un gamin ! Les zombies n'existent pas.

Et elle raccrocha.

Zack s'immobilisa.

— Les zombies ?

— Quoi, qu'est-ce qu'il y a, Zack ? Aurais-tu peur du Grand méchant loup, Zack ? le nargua-t-elle, une inflexion sinistre dans la voix.

— C'était qui ? demanda Zack.

— Greg Bansal-Jones, si tu tiens vraiment à le savoir, répliqua Madison.

Oh, ce Greg-là, pensa Zack. Il détestait ce Greg.

Soudain, un énorme fracas secoua tout l'intérieur de la maison et tous deux se tournèrent vers la porte de la cuisine.

— Que se passe-t-il, bon sang? s'écria Madison.

Trois cris à vous faire dresser les cheveux sur la tête jaillirent du salon. Mais le hurlement sauvage et guttural s'arrêta net, faisant place à un inquiétant silence.

— Zoé ! appela Madison.

Des bruits de pas lents et lourds résonnèrent au premier étage. Ils s'amplifièrent en se rapprochant.

— Crois-tu que c'est un zombie ? se demanda Zack à haute voix, se rendant soudain compte de la bêtise de sa question.

— OK, demi-portion, nouvelle règle ! ordonna Madison. Le prochain qui prononce le mot *zombie* se prend une claque sur la tête, compris ?

Un autre gros craquement se fit entendre, et ils perçurent le son d'un gémissement faible qui augmentait avec le bruit des pas.

— Où est Zoé ? demanda Zack d'une voix tremblante.

Madison bouscula Zack en le contournant et alla écouter à la porte du couloir.

— Zoé ?

Elle se tut.

— Ryan... Samantha ? Ça va les filles ?

Personne ne répondit.

— Zoé ? Ce n'est pas drôle. Que se passe-t-il ?

Un troisième craquement vint rompre l'interminable et pesant silence, aussitôt suivi d'un gémissement sourd qui accompagnait chacun des halètements surnaturels. Ils attendaient en silence, tandis que le bruit irrégulier des pas chancelants devenait de plus en plus présent. Zack se rapprocha légèrement de Madison.

— Qu'est-ce que nous faisons, Zack ? Il vient par ici !

Le téléphone se mit brusquement à sonner. *Drrrrrring*!

Terrifié, Zack se blottit encore plus près de Madison jusqu'à s'accrocher à son doux gilet à fermeture éclair.

— Hé, le boutonneux! Pas si près! dit-elle, le repoussant.

Il tomba, se remit sur ses pieds avec difficulté et courut jusqu'à la table de la cuisine. *Drrrrrring*!

— Vite, Madison! Cache-toi!

Zack souleva la nappe. Roulant des yeux, Madison courut derrière lui. Elle saisit son sac à main posé sur une chaise et rampa sous la nappe. Zack s'accroupit en se pelotonnant nerveusement tout près d'elle.

— Pas si près, je ne tiens pas à être couverte de boutons, chuchota Madison.

— La ferme, Madison! lui lança Zack en lui envoyant un coup de coude dans les côtes.

Elle lui remit son coup, mais trois fois plus fort. Il articula le mot *aïe* en silence et mit le doigt sur ses lèvres pour lui intimer de se taire.

Drrrrrring!

Le bruit des pas boiteux et raclant le sol se rapprochait, le gémissement guttural passant maintenant en son stéréo. Le rôdeur pénétra dans la cuisine en grommelant. Le téléphone se tut. L'intrus respirait fortement en grognant par intermittence.

— Il a l'air dégoûtant, observa Madison sans baisser la voix.

— Qu'est-ce que nous faisons ? murmura Zack le plus bas possible en espérant qu'elle saisirait. Et Zoé ?

— Je ne sais pas, dit-elle, un léger voile d'inquiétude dans la voix.

Le bruit des pas se rapprochait de la table. Madison et Zack prirent ensemble une inspiration et la retinrent avant de souffler en silence par le nez. Pétrifié, Zack jeta un coup d'œil au bas de la nappe, qui n'atteignait pas complètement le sol.

Une paire de tennis ruinée, couverte de taches de boue, et le bas d'un pantalon kaki effiloché apparurent. Les jambes tremblaient. Les semelles des baskets s'écrasaient au sol en giclant quand l'individu changeait de posture et elles puaient comme de vieux morceaux de viande refroidis depuis une semaine.

Madison remonta le col de son chemisier sur sa bouche. Le cœur de Zack se souleva, et il l'imita. Quelque chose claqua en tombant sur le linoléum dans un bruit sourd et mou. Zack demeura bouche bée. C'était un livre de poche couvert d'une épaisse couche de boue.

Le vieux Stratton grognait et respirait bruyamment. Il gémit et se mit à tousser d'une horrible toux grasse qui éclaboussa le sol de la cuisine de taches rouges sanguinolentes et de petites flaques de muqueuses teintées de gris. Zack ferma les yeux.

Drrring! *Drrring*! Le téléphone se remit à sonner.

Le vieil homme grogna une fois de plus et se dirigea vers le téléphone en boitant. Saisissant le combiné, il arracha le cordon téléphonique du mur en gesticulant violemment. Il lança le combiné à travers la pièce et ensuite, pivotant, se jeta contre le réfrigérateur et arracha la porte du congélateur en l'envoyant valser. De la crème glacée au soya se répandit sur le sol de la cuisine. Un nuage de vapeur froide entourait la tête de l'individu. À demi voûté, les yeux exorbités, le visage déformé par de gros bubons de chair enflée, il titubait.

Le vieux fou sortit de la cuisine en chancelant et se traîna dans le couloir. Le bruit de ses pas diminua.

— Je crois qu'il s'en va, murmura Zack, le cœur battant.

Madison attrapa Zack par le bras et le tira de dessous la table.

— Viens, filons.

— Attends, dit Zack. Il faut que nous retrouvions Zoé.

— Elle se cache sûrement quelque part. À moins qu'elles ne soient déjà parties. Allez, viens maintenant!

Elle désigna les portes vitrées coulissantes, et ils s'élancèrent à travers la cuisine. Zack tritura ensuite la serrure.

— Allez, vite! le pressa Madison en avalant la dernière gorgée de sa boisson vitaminée.

Au moment où il parvint à faire glisser la porte, un poing gris pâle cogna contre la vitre qui, à l'impact, se fissura en forme de toile d'araignée. Un lapin mou et inanimé pendait de la main. Madison couvrit sa bouche, secouée et ouvrant des yeux ébahis.

Un vent rapide poussa un nuage noir devant la lune, et la silhouette de l'écraseur de lapin apparut pleinement. Son bras ensanglanté, mutilé, luisait d'un rouge éclatant. Son t-shirt Burton noir était déchiré, révélant une énorme blessure déjà bien infectée à la poitrine, et ses baskets Etnies étaient ruinées. Le jeune zombie tenait une planche à roulettes dans son autre main en décomposition.

— C'est Danny! L'un des Zimmer! s'exclama Zack dans un murmure horrifié alors que son regard fixait directement les yeux vides et froids de son voisin.

Une peau livide et flasque pendait du visage de l'adolescent. Sa mâchoire sortait un peu vers l'avant et sa lèvre supérieure était retroussée, dévoilant des incisives jaunies. Zack et Madison observaient le jeune Zimmer à travers la vitre brisée tandis qu'il portait le lapin mort à sa bouche ouverte. Il mordit en plein milieu, éclaboussant son misérable visage de sang.

— Zack, je ne sais pas ce que c'est qu'un Zimmer, proclama Madison, ahurie, les yeux écarquillés, mais je crois être capable de reconnaître un zombie quand j'en vois un.

Zack s'arrêta une seconde, leva la main et tapa le côté de la tête de Madison. Elle lui lança un regard furieux, un éclair de colère dans les yeux. Zack se contenta de hausser les épaules.

— C'était ta règle, non?

Ils se retournèrent juste à temps pour voir le jumeau Zimmer, désormais jumeau zombie, lever sa planche à roulettes pour la lancer contre la porte.

— D'accord, Zack, c'est sérieux! Cours!

Madison et Zack firent volte-face sans attendre et s'élancèrent hors de la cuisine. Ils grimpaient les escaliers quand ils entendirent le verre brisé éclater dans leur sillage.

Madison claqua la porte de la chambre derrière eux. Les avant-bras de Zack se hérissèrent de chair de poule quand une brise glacée entra par la fenêtre ouverte. L'échelle de corde pendait de manière inquiétante au rebord de la fenêtre, ses barreaux cognant contre le mur de la maison. *Clac. Clac. Clac.*

Zack découvrit avec horreur ce qui se passait en bas : le quartier grouillait de morts-vivants. Alors que de gros morceaux de chair s'étaient déjà détachés de leurs cous et épaules, zombie Samantha et zombie Ryan s'arrachaient mutuellement des touffes de cheveux. Mme Mansfield, le vieux Stratton, le second jumeau Zimmer et tous les voisins étaient hideusement déformés, chacun d'eux crachant du sang, la trachée bloquée par des substances visqueuses de zombie, des bubons gonflant puis éclatant sous la peau. Il y en avait partout, sur l'herbe, le trottoir, au milieu de la rue, tous titubant sans but, lançant de profonds gémissements inhumains.

— Madison, viens par ici, appela Zack.

— Comment verrouilles-tu de l'intérieur? demanda-t-elle en triturant la poignée de porte.

— Nous ne pouvons pas. Viens voir ça.

Zack avait les yeux rivés sur la scène qu'il apercevait au-dessous.

Madison attrapa une autre bouteille de VitalVegan dans son sac avant de s'installer à côté de Zack. Elle avala nonchalamment une gorgée et regarda dehors, là où fourmillait un essaim de démons assoiffés de sang.

Bras tendus, les zombies titubaient au hasard et dans tous les sens. Des membres arrachés pendaient hors de leurs jointures, certains découpés en petits morceaux, d'autres couverts de balafres ensanglantées.

Madison laissa échapper un glapissement de dégoût et fit tomber sa bouteille de plastique par la fenêtre. Celle-ci sembla s'immobiliser en l'air avant de venir cogner bruyamment contre les lattes de bois de l'échelle.

Les zombies pivotèrent à l'unisson, redressant le cou en direction de la maison.

Madison inspira, prête à lancer un cri phénoménal. Mais comme Zack recouvrit sa bouche de ses mains au même moment, elle se contenta de crachouiller dans ses paumes. Il lui jeta un regard oblique en essuyant sa main sur son pantalon. *Infect.*

C'est alors qu'elle se mit à hurler pour de bon.

Les innombrables yeux fiévreux et vitreux de la foule en délire fixaient Zack et Madison. Convergeant en une lente attaque synchronisée, les zombies rampaient vers la maison.

— Bien joué, Madison, explosa Zack d'un ton sarcastique. Juste ce qu'il nous fallait.

— Peu importe, raté… essaya-t-elle de proférer au moment où le téléphone se remit à sonner.

Zack empoigna le combiné et répondit.

— Je te rappelle, Rice, chuchota-t-il rapidement.

— Zack, si tu me raccroches encore au nez, tu peux te trouver un nouveau meilleur ami, je te le jure ! menaça Rice.

— Je suis pris dans quelque chose de dingue à l'heure qu'il est.

— Ben voyons, Zack, comme tout le monde ! Ton quartier est infesté mon cher. Aux infos, ils l'appellent la zone chaude. J'étais persuadé que les zombies t'avaient eu.

De nouveau penchée à la fenêtre, Madison laissa échapper un autre cri à vous dresser les cheveux sur la tête. Zack pivota dans sa direction et la dévisagea.

— C'est quoi ça, nom d'un chien ? demanda Rice

— Rice, excuse-moi, attends juste une seconde. Je ne raccroche pas, c'est juste que…

Les yeux écarquillés, Zack ouvrit grand la bouche tandis que Madison décrochait l'échelle de corde du rebord de la fenêtre et la lançait en bas.

— On peut savoir ce que tu fabriques ? demanda-t-il en bloquant le combiné sur son épaule.

— Il y en a un qui commençait à grimper ! dit-elle.

— Bon, et comment crois-tu que nous pourrons descendre maintenant ?

— Tu t'imaginais vraiment que j'allais descendre au milieu de cette… de cette *ville zombie* ?

Madison croisa les bras et secoua la tête.

— Alors là, pas question !

Avant même que Zack ait pu répondre, les gonds fatigués de la porte d'entrée envoyèrent depuis le rez-de-chaussée une secousse qui se propagea dans les murs, jusqu'aux carreaux des fenêtres.

— Rice, nous avons un vrai problème ici, vieux. Qu'est-ce que tu sais à propos des zombies ?

— OK, Zack, première chose : ne te fais pas tuer par les zombies. Si tu meurs, je n'ai pas vraiment de copains de remplacement. Ton objectif principal est donc de survivre afin de demeurer mon meilleur ami, termina-t-il.

— Merci Rice, mais sérieusement… supplia Zack.

— Je *suis* sérieux. Alors… sois sympa, reste en vie. Maintenant, qui est avec toi ?

— Il n'y a que moi et Madison.

— Oh là là ! Te voilà dans de beaux draps, dit Rice. Est-ce que l'un d'entre vous a été mordu ? Parce que si vous vous faites mordre, c'est la mort assurée, du genre vos corps sont réanimés, mais votre peau commence à pourrir, vos yeux sortent des orbites et tombent, si bien que de temps en temps, il faut les ramasser et les remettre en place. Oh, mec, c'est tellement dégoûtant…

— Non, pas mordu, Rice, interrompit Zack. Nous venons juste de nous réfugier en haut dans ma chambre.

— Madison Miller est avec toi dans ta chambre ?

— Rice !

— Bon, bon, laisse-moi réfléchir une minute.

Il marqua une pause.

— Elle est habillée comment ?

— Rice, ça va, mec !

— Alors ?

Madison, qui se mordait les lèvres, perdait patience.

— Il réfléchit, dit Zack en haussant les épaules.

— Passe-moi le téléphone, dit-elle en le lui arrachant de l'oreille.

Elle appuya sur la touche du haut-parleur et le rendit à Zack.

— Pardon, qui est au bout du fil ? demanda Madison d'une voix sévère, tout en faisant les cent pas.

— Euh… c'est Rice, bredouilla-t-il, penaud.

— Bien, Rice, tu ferais mieux de nous dire tout de suite tout ce que tu sais à propos de ces choses, ou je vais me transformer moi aussi en zombie et me lancer à tes trousses pour t'arracher les boyaux, tu piges ?

— On ne se transforme pas *comme ça* en zombie, *Madison*, répondit Rice sur un ton de je-sais-tout. Seul un zombie peut faire de toi un zombie.

— Écoute, baisse d'un ton et dis-nous tout.

— OK, commença Rice, qui semblait plutôt agité. La première chose que vous devez comprendre à leur sujet, c'est que les zombies ne sont que des morts qui déambulent un peu partout en cherchant à vous mordre.

Zack jeta à nouveau un coup d'œil sur le carnage qui avait lieu en bas. Les zombies traversaient la pelouse en direction de la maison. Parmi eux, certains piétinaient les buissons pour pouvoir briser les vitres du rez-de-chaussée et entrer. Les autres convergeaient vers le perron, tapant rageusement sur la porte d'entrée. Du sang noir qui suintait par les pores de leurs corps malades dégoulinait sur l'herbe et les pavés du chemin. Zack les entendit dévaster le rez-de-chaussée.

— Tu m'écoutes, mec ? S'ils te mordent, tu seras infecté et tu deviendras zombie. C'est ce qu'ils veulent par-dessus tout. À moins qu'ils ne te dévorent entièrement. Par chance, comme les zombies sont plutôt lents, il est facile de les semer, mais...

Zack fit pivoter son regard tout autour de la pièce dans l'espoir d'y trouver quelque chose pour se défendre.

— OK, et ensuite, vieux ? Dis-nous tout !

Il posa le téléphone à plat sur la moquette.

— Maintenant, écoutez-moi.

Rice était redevenu sérieux.

— Tu m'as bien dit que vous étiez dans ta chambre à l'étage ? Il vous faut sortir de là. Si les zombies vous coincent dans un endroit comme celui-ci, vous êtes cuits tous les deux.

Zack fouilla sous son lit et en sortit un pistolet jouet. De l'autre côté de la chambre, Madison, assise sur la chaise pivotante, se regardait dans un miroir de poche.

— Nous sommes assaillis par des corps ambulants qui veulent nous dévorer et toi, tu te soucies de ton apparence ?

Madison se mordit les lèvres.

— Si ces monstres zombies doivent me tuer, j'aime autant finir en beauté.

Après avoir appliqué du rouge sur sa bouche, elle tendit le tube à Zack.

— Tu en veux un peu ?

Il pointa le pistolet sur Madison

et appuya sur la gâchette. Un éclair de laser rouge en jaillit, ainsi qu'une mélodie futuriste. Madison lui tira la langue.

La porte non verrouillée se mit soudain à trembler sous les coups. Un de ces horribles trucs

balafrés était en train d'essayer de se frayer un chemin dans la chambre. Madison se leva et, bras tendus, appuya avec force sur la porte de ses deux mains.

— Qu'est-ce qui se passe ?

C'était la voix de Rice, jaillissant du téléphone posé au sol.

— Qu-qu-qu'est… Rice, qu-qu'est-ce que je fais maintenant ? bégaya Zack.

— Bon, écoute. Le seul moyen de tuer les zombies est de détruire complètement leur cerveau ou de leur trancher la tête.

Zack se précipita vers le placard, fouillant au milieu des boîtes et tirant sur les cintres. Rien. Il poussa plus loin son inspection, donnant au passage un coup de pied dans ses vieilles cartes *DragonBall Z* pour les mettre hors du champ de vision de Madison. Il n'y avait rien sauf la batte de base-ball jaune Wiffle, appuyée dans un coin. Il rampa à reculons sur ses mains et ses genoux en brandissant le fragile objet en plastique. Madison explosa de rire.

— Quoi, qu'est-ce qu'il fabrique ? demanda Rice.

— Il vient de récupérer une de ses battes de base-ball en plastique, pouffa Madison. Le truc ne pèse même pas un dixième de kilo.

— Zack, ressaisis-toi, gronda Rice. Ce sont des zombies que tu dois tuer, mec ! Ça ne rigole pas. Il te faut des armes sérieuses.

Zack courut jusqu'à son bureau et se mit à en ouvrir frénétiquement les tiroirs. Il trouva un couteau suisse qu'il n'avait encore jamais utilisé et le mit dans sa poche. Puis, il sortit un marteau qu'il avait oublié de remettre dans la boîte à outils de son père et se précipita vers Madison.

Elle s'arc-boutait contre la porte pendant que le zombie donnait de grands coups de l'autre côté. Madison s'étrangla soudain de rire.

— Qu'est-ce qu'il y a de si drôle ? demanda Zack.

— La porte n'est même pas verrouillée. Les zombies sont vraiment bêtes, non ? ricana Madison, quand soudain, le bois éclata dans un bruit sec et menaçant.

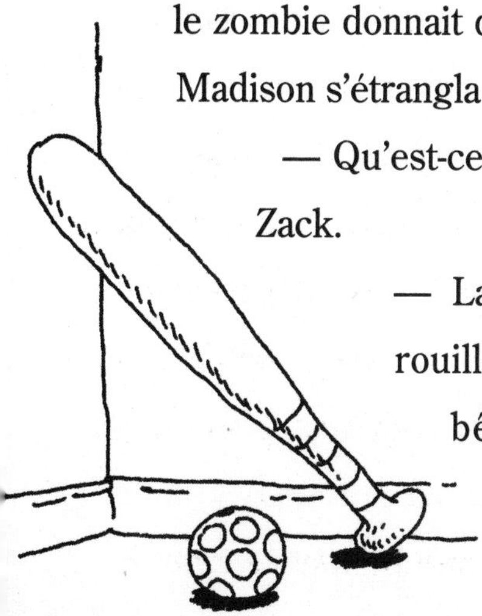

Elle tressaillit.

— Il vaut mieux ne pas se moquer des zombies, Madison, dit Rice. Tâche de lire un jour la rubrique les concernant sur Wikipédia, et nous verrons si tu peux encore dormir après ça.

Un coup supplémentaire, et le bois craqua complètement. La main jaunâtre et poisseuse du zombie traversa la porte en passant à deux centimètres du visage de Madison, essayant d'attraper quelque chose, peu importe ce qui pouvait se présenter.

Madison poussa un cri strident en s'écartant pour se mettre hors de portée du zombie. Zack, debout à côté d'elle, tenait son arme à deux mains.

— OK, Rice, j'ai trouvé un marteau, dit-il. Tu crois que ça va faire l'affaire ?

— C'est parfait, lui assura Rice. Quand le zombie sera passé complètement au travers, tu n'auras plus qu'à donner un grand coup sur sa tête de sangsue !

Zack s'immobilisa, le marteau levé au-dessus de sa tête, et attendit. L'autre bras du zombie passa au travers de la porte, suivi d'une tête macabre. Zack faillit abattre le marteau, mais il découvrit que le zombie

n'était nul autre que sa sœur.

Les cheveux noirs filandreux de Zoé étaient trempés de sueur, et des veines bleues pulsaient sous la peau affaissée de son visage. Ses pupilles étaient resserrées en forme de fines fentes noires diaboliques. Elle sifflait et grognait en griffant dans le vide.

— Oh mon Dieu ! s'exclama Madison. Zoé est trop moche en zombie !

Zoé parvint à faire passer le haut de son corps par le trou, mais ses jambes, restées dans le couloir, faisaient du surplace, comme si elle était sur un tapis roulant zombie.

Madison sortit son téléphone mobile et pointa l'appareil photo vers le monstre gargouillant et zombifié qu'était devenue sa meilleure amie. Elle riait en

appuyant sur le bouton, bougeant un peu plus à chaque photo.

— Alors, qu'est-ce qui se passe ? dit Rice. Tu l'as eu ou quoi ?

— C'est *Zoé* ! lui dit Zack.

— Mec.

Rice avait soudain l'air excité.

— N'est-ce pas le moment que tu as attendu toute ta vie ?

— Mais je ne peux quand même pas tuer ma sœur ! s'écria Zack.

— Certes. Mais si tu ne la tues pas, assomme-la au moins. Tape-lui sur la tête avec un truc dur juste entre les deux yeux, si tu peux, expliqua Rice. Ça ne la tuera pas. Elle finira par se réveiller et essaiera à nouveau de t'attraper.

Madison poussa un hurlement. Elle était en train de regarder à travers le trou qui entourait la taille de Zoé.

— Zack ! Ils montent les escaliers !

Il saisit le téléphone et coupa le haut-parleur.

— Rice, il faut que nous y allions, mon vieux !

— Zack, attends ! Quand tu te seras échappé avec Madison, trouve une voiture, passe me prendre, et nous tâcherons de voir ce que nous pouvons faire à partir de là, dit-il. Bonne chance.

— Ça ressemble à un plan, répondit Zack. Et merci.

— Quand tu veux, mon frère… Et mec, si je ne te revois plus….

La voix de son meilleur copain s'assombrit. Une pause d'au moins cinq secondes suivit.

— Je t'aime, vieux.

Rice raccrocha avant que Zack ait pu répondre. La tonalité résonnait dans son oreille.

Le regard dans le vague, Zack comprit pour la première fois qu'il ne vivrait peut-être pas jusqu'au lendemain matin.

— Je t'aime aussi, mec.

— Fais quelque chose, Zack ! hurla Madison, qui semblait complètement hystérique.

Les grognements des zombies se rapprochaient.

Zack sortit de la poche de son pantalon le couteau suisse et en tira la longue lame. Assis sur le lit, il stabilisa la batte en plastique en la posant sur un bout et enfonça la lame du couteau dans le haut en y découpant énergiquement un parallélogramme jaune. Il prit ensuite sa très grosse tirelire en forme de bouteille de Coca remplie de pièces de monnaie, et déversa son contenu à côté de la batte en une énorme pile. Poignée par poignée, Zack remplit le plastique creux avec les sous jusqu'à ce qu'il déborde de vieilles pièces verdies par l'oxydation.

— Zut, il me faut du ruban adhésif! s'écria-t-il.

Madison fouilla dans son sac. Elle en sortit un rouleau de ruban à conduits et le lui lança à travers la pièce.

— Il a déjà été utile, dit-elle d'un ton malicieux.

Zack colla le haut de la batte puis enroula une bonne quantité de ruban autour de la poignée pour une meilleure prise. Il s'exerça ensuite à frapper avec l'objet lourdement chargé de pièces.

Madison s'écarta quand Zack approcha de sa grotesque sœur. Faisant désormais face à son petit frère, zombie Zoé se redressait, essayant en vain de l'atteindre avec ses mains. Zack se plaça en position de batteur devant la porte.

— Zoé, dit-il en agrippant la batte et en se plantant sur ses deux jambes. Ça, c'est pour... bien, disons pour tout, je suppose.

Il se déhancha tel un joueur de la ligue majeure sur son marbre.

— Attends ! cria Madison, se plaçant devant Zack. Ne lui casse pas le nez. Elle a un si joli petit nez !

Elle recula en grimaçant par anticipation.

Zack frappa en visant la tête de Zoé et la batte heurta directement le sommet du crâne de sa sœur zombie. Le plastique jaune bon marché explosa, propulsant tout autour des pièces de cuivre et d'argent qui se répandirent en une agréable mélodie. Tandis que sa monstrueuse sœur s'effondrait, une moitié hors de la pièce et l'autre à l'intérieur, Zack laissa tomber la batte sur le sol.

Madison tapota la tête de Zoé comme pour dire : « bonne bête », tout en tournant la poignée de la porte, qu'elle ouvrit.

La horde de zombies avait atteint le palier du premier étage, trébuchant les uns sur les autres, attrapant tout ce qui leur tombait sous la main, agrippant n'importe quoi. Souriant à Madison, Zack passa sans sourciller devant sa sœur.

— C'était sympa pour toi ou quoi ? demanda-t-elle.

— Ça valait son pesant d'or, répondit Zack.

— Pauvre ringard !

L'essaim de morts-vivants s'agglutinait en haut du vestibule en une sorte d'amoncellement mouvant

de membres enchevêtrés qui approchaient lentement, irrémédiablement. Zack, quasi à court d'idées, en dénicha une dernière.

— Madison, dit-il, quand Zoé sort en cachette le soir, comment s'y prend-elle ?

— Facile. Elle passe par la fenêtre et descend le long du treillis.

À ce moment précis, l'un des zombies avança vers eux tout en titubant. Zack et Madison firent un bond en arrière. Le zombie s'écrasa la tête contre le tapis, avec un son qui ressemblait pas mal au bruit d'un insecte qu'on broie avec le bout de sa chaussure.

Zack attrapa Madison par le bras et l'entraîna vers le couloir. Elle se dégagea violemment, s'éloignant sans se presser de la bande de zombies. Ponctués de jappements stridents, des grognements sans âme continuaient de transpercer la maison de part en part, tandis que de petits coups de pattes griffaient le bas de la porte de la chambre de Zoé.

Zack tourna la poignée, et le chiot déboula devant Madison.

— Twinkles! s'écria-t-elle alors qu'il lui filait entre les jambes. Non!

Prise de panique lorsqu'elle s'aperçut que son cher petit chien aboyait furieusement contre les zombies, Madison pivota. Mais tandis que la bande de monstres agressifs et hirsutes avançait, le courage de son chiot faiblissait en gémissements pathétiques.

— Twinkles… viens ! ordonna-t-elle avec sérieux.

Aussi vite qu'il avait décampé, Twinkles revint vers Madison, qui s'accroupit pour le prendre dans ses bras.

— Imbécile de chien ! le sermonna-t-elle tandis qu'il frottait son nez contre elle en lui léchant le visage.

Zack tint la porte avec impatience pour faire passer Madison et son drôle de nourrisson, un malheureux croisement de beagle pleurnichard et de terrier de Boston aux yeux exorbités.

La porte de la chambre se referma derrière eux.

La chambre de Zoé n'était qu'une pagaille rose bonbon, entièrement peinte, drapée et recouverte de trucs aux couleurs de filles. Des affiches luisantes de vedettes tapissaient les murs magenta du sol au plafond, allant de Justin Timberlake aux Jonas Brothers. Zack fut pris d'un léger haut-le-cœur à la vue du sanctuaire de sa sœur exposant des visages finement ciselés issus de la presse populaire.

Il courut jusqu'à la fenêtre pour examiner le toit du garage devant lequel était garée la Volvo de sa mère. Madison le suivit, protégeant le chiot de ses bras.

— Allez, Madison, dit-il en soulevant le lourd battant de la fenêtre, toi et Twinkles d'abord. Nous descendrons le long du truc de clôture et courrons jusqu'à la voiture, OK?

— Tu veux parler du *treillis*? Celui que tous les zombies sont en train d'escalader?

— C'est ça, le treillis, peu importe. Attends. Qu'entends-tu par «escalader»?

Madison désigna le côté du garage le long duquel, bien entendu, quatre zombies tentaient de grimper.

Par chance, les zombies très maladroits perdaient l'équilibre à mi-parcours et retombaient sans cesse, bruit sourd de chute après bruit sourd de chute.

— Seigneur, dit Zack. Au moins, ils n'y arrivent pas!

— Ils sont déjà là, gros malin.

À ce moment précis, la pièce entière fut secouée de façon effrayante alors que des zombies parvenus au premier étage cognaient contre la porte. Twinkles gronda et montra ses très petites dents. Madison ne bougea pas, caressant simplement la tête de son chiot.

— Tu n'as pas l'air particulièrement affolée à l'idée que nous allons bientôt mourir, ou je me trompe? s'enquit Zack, qui pataugeait de long en large au milieu des habits de Zoé répandus sur le sol.

— Bien sûr que je suis inquiète, dit Madison. J'ai manqué l'invitation courriel pour la fête de la Fin du monde et maintenant, je vis mes derniers instants les plus précieux avec un petit imbécile !

Ses mots étaient pleins de rancune.

— Mais où est donc Greg Bansal-Jones quand nous avons le plus besoin de lui ? soupira-t-elle avec mélancolie.

S'il était vrai que Madison était la plus jolie fille de secondaire deux, Greg Bansal-Jones était indéniablement le plus beau et le plus méchant des garçons. Zack ne supportait pas son nom de famille débile. Et il ne pardonnerait jamais à Greg ce qu'il avait fait à Rice dans les toilettes. Greg et ses deux copains avaient accueilli Rice à son retour à l'école en lui mettant la tête à l'envers sur la cuvette des toilettes et en la plongeant ensuite dans l'eau brune souillée. Et il arrive parfois que lorsque les couloirs de l'école sont vides et tranquilles, on entende encore les cris de Rice résonner entre les murs.

— On s'en tape, Madison, je tente le coup, ça te va ? dit Zack. Toi, Greg et Zoé, vous vous croyez tous super cool en étant méchants. Mais si nous ne parvenons pas à la voiture en bas dans les deux minutes qui viennent, l'occasion ne se présentera plus jamais à toi d'être ignoble avec quiconque.

Madison se renfrogna en silence devant la fenêtre. Zack passa dans la salle de bain attenante à la chambre. La porte de la pièce vibrait et grinçait sous le poids d'une douzaine de zombies.

Zack examina la salle de bain sans fenêtre à la recherche de moyens de s'échapper. D'une autre arme. *Allez Zack*, se dit-il. *Il y a toujours moyen de s'en sortir.*

En ouvrant le placard à serviettes, il découvrit soudain leur dernière planche de salut : le vide-linge. Comment n'y avait-il pas pensé plus tôt ? Mais le fait était qu'il était là, et Zack savait où il aboutissait.

Directement au garage. Au rez-de-chaussée. Il ne leur restait plus qu'à effectuer un dernier saut vers la liberté, vers leur super Volvo.

— Madison, ça va aller, nous y arriverons. Nous n'avons plus qu'à nous glisser dans la chute !

— Le vide-linge ? interrogea-t-elle depuis l'autre pièce. Tu veux rire ?

— Grouille, c'est notre seule chance de sortir !

— Zack, plutôt finir dévorée vivante que de tomber dans une pile de sous-vêtements sales t'appartenant ! Dégueu !

Le bruit d'une vitre brisée retentit. Le sang de Madison ne fit qu'un tour dans ses veines.

Zack se rua vers la porte de la salle de bain et s'immobilisa. Le zombie passa à travers la vitre et Madison recula. Elle trébucha sur la moquette rose. Zack reconnut aussi ce zombie. C'était Donnie Zimmer, le frère jumeau de Danny.

Rampant sur le ventre comme une limace, haletant et éternuant, Donnie propulsait ses hanches vers l'avant l'une après l'autre, jusqu'à pouvoir agripper Madison par les talons. Lorsqu'il l'atteignit, sa peau d'un jaune défraîchi craqua, laissant échapper du sang qui coula le long de ses bras profondément entaillés par le passage à travers la vitre. Juste avant qu'il s'élance en avant dans un effort brutal et désespéré pour l'attraper, Madison se remit brusquement debout. Twinkles s'accrochait à ses manches, les yeux de plus en plus exorbités.

Madison s'épousseta et empoigna son sac. Se traînant vers eux en un ultime effort, le corps répugnant se redressa lentement. Il portait un t-shirt rouge à moitié déchiré, marqué d'un serpent se dévorant la queue.

— Je croyais t'avoir entendu dire que ces choses ne peuvent grimper, dit Madison en reprenant son souffle.

Telle une sorte de bambin psychotique, Donnie Zimmer se déhanchait dans la pièce.

— Oui, bon, en tout cas, ils sont super lents… rétorqua Zack en poussant Madison vers la salle de bain.

La porte de la chambre commençait à craquer, et le grognement étouffé du zombie enflait à travers le bois fracturé.

Zack jeta un coup d'œil vers le sombre vide-linge qui semblait sans fond, puis en direction de Madison.

— Ça passera tout juste, fit-il remarquer.

Madison lui lança un regard noir et furieux.

— Que veux-tu insinuer ?

— Rien, dit Zack. Tu es plus grande que moi, c'est tout.

— Plus grande ? demanda-t-elle en le fixant de son regard d'acier. Pourquoi ne dis-tu pas *carrément* ce que tu penses, Zachary ?

— Que veux-tu dire, Madison ?

— Que je suis trop *grosse* pour passer par cet immonde vide-linge…

— Tu te fiches de moi, là? cria Zack, qui s'affolait de plus en plus. Il faut y aller!

Le zombie Zimmer approchait par petits bonds tandis que la horde des chiens de l'enfer aux dents acérées pulvérisait sans pitié la porte de la chambre. La bande avait désormais plutôt l'air d'un effroyable sac de nœuds de membres mutilés et de mâchoires claquantes.

Malgré cela, Madison attendait les bras croisés, le menton levé et tapant du pied. Perdant patience, Zack attrapa son sac et le lança droit dans la descente.

— Allez, Madison!

— Je n'irai nulle part tant que tu n'auras pas dit quelque chose de gentil.

— Quelque chose de gentil, balbutia sottement Zack alors qu'il lui tendait la main.

— À mon sujet, avorton, dit-elle en envoyant des simulacres de bisous à Twinkles, tout en grattant le chiot choyé derrière les oreilles.

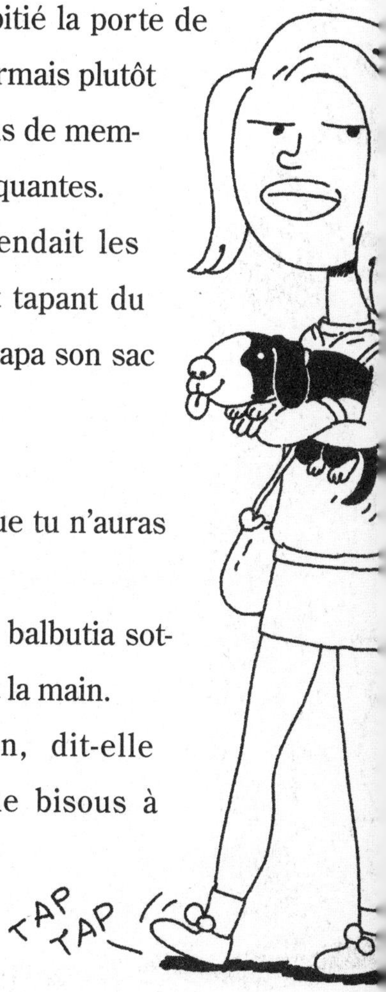

TAP TAP

Zack se creusa la cervelle pour trouver un compliment rapide et facile, mais avec Madison, ça n'était pas gagné !

— Tu veux que je te dise, Madison ? demanda Zack.

Des gueules salivantes déboulèrent soudain dans la chambre de Zoé, formant un jet hideux de mutants vomissant.

— Si tu tiens à être dévorée, c'est ton problème.

Aussitôt dit, plantant là Madison, Zack attrapa Twinkles et grimpa dans le vide-linge, où il se laissa glisser, laissant Madison seule pour décider de son sort.

Aspiré par la vieille descente en métal, Zack fonçait vers le garage. Il serrait Twinkles contre sa poitrine. Tous deux plongèrent dans l'odeur douteuse du linge sale.

Zack s'ébroua hors d'une paire de jeans maculée de taches d'herbe et tendit l'oreille pour entendre Madison débouler derrière lui. Mais il ne perçut que le souffle vide du courant aspirant. Soudain, propulsé jusqu'au garage, un cri strident jaillit du vide-linge bourdonnant. Un inquiétant silence s'ensuivit, et durant ces minutes de calme interminables, Zack sentit le sang se glacer dans ses veines.

— Ils l'ont eue… murmura-t-il, incrédule.

Twinkles baissa la tête piteusement.

— Je crois bien qu'il n'y a plus que nous deux désormais, mon vieux Twinkie…

Mais avant que Zack ait pu dégager le cabot pleurnichard du linge sale, la chute se remit à vibrer en une succession de claquements métalliques.

Zack et Twinkles virent apparaître Madison tête première dans le panier à linge odorant. Elle se débattait de tous ses membres pour pouvoir s'échapper au plus vite du tas de linge sale de la famille Clarke.

Madison se leva et fit face à Zack.

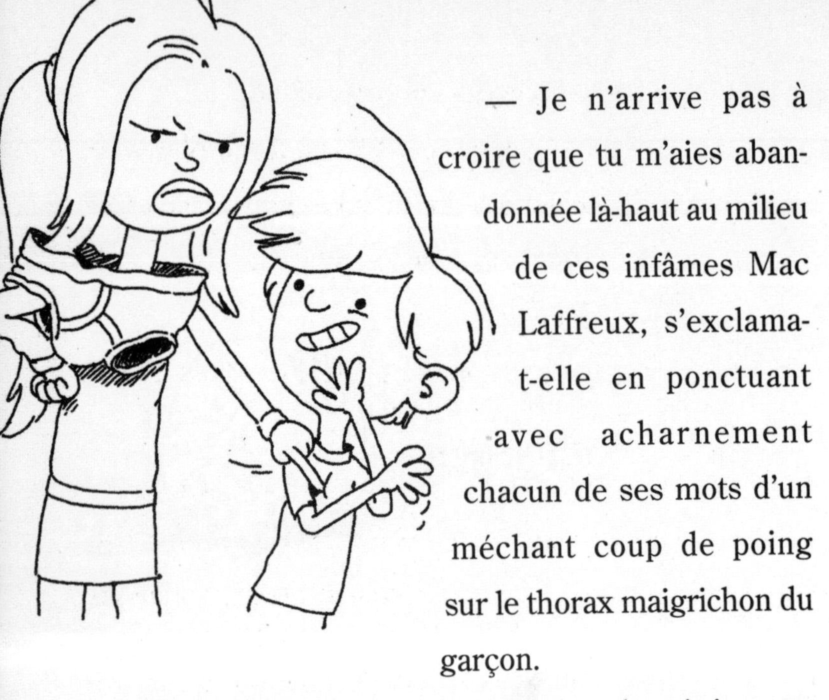

— Je n'arrive pas à croire que tu m'aies abandonnée là-haut au milieu de ces infâmes Mac Laffreux, s'exclama-t-elle en ponctuant avec acharnement chacun de ses mots d'un méchant coup de poing sur le thorax maigrichon du garçon.

En dépit de la sourde douleur dans la poitrine causée par l'attaque de Madison, Zack ne pouvait s'empêcher de sourire.

— Ah, tu trouves ça drôle de laisser tomber une fille ainsi ? demanda-t-elle.

Zack éclata d'un grand fou rire, et à cet instant seulement, Madison réalisa que la blague était en train de se retourner contre elle.

Dans le feu de l'action, elle n'avait pas remarqué un caleçon géant autour de son cou. Elle l'arracha en vitesse et le lança sur Zack. *Beurk* !

— À qui est-ce ? s'écria-t-elle, dégoûtée.

— Ça doit être à papa, ricana Zack, tirant d'un bon demi-mètre sur l'élastique de la taille pour projeter le caleçon au loin comme une grosse catapulte.

— Oh, c'est dégueu !

Elle frissonna en récupérant Twinkles dans la pile de linge sale.

Zack empocha les clés de la voiture de sa mère, qui pendaient à un crochet situé à côté de l'interrupteur commandant la porte du garage. On entendait au même moment les zombies tituber devant la porte. Tandis que Zack scrutait les murs à la recherche d'une arme appropriée, Madison, qui tenait toujours Twinkles dans ses bras, jeta un coup d'œil par la fenêtre.

— Mais d'où viennent-ils tous ?

— Je n'en sais rien, répondit-il en s'emparant d'une hache rouillée.

— Et qu'est-ce que tu crois pouvoir faire avec ça ? demanda-t-elle avec défiance.

— Tu as entendu ce qu'a dit Rice.

Zack brandit la hache, qui siffla lorsqu'il la fit tournoyer dans les airs.

— Le seul moyen de les tuer, c'est de leur couper la tête.

— Tu ne peux quand même pas les tuer, Zack, s'écria Madison, ce sont des êtres humains!

— Faux, Madison. C'étaient des êtres humains. Maintenant, ce sont des morts qui ne savent plus comment le rester. C'est la loi de la jungle, rétorqua Zack, et ce n'est pas moi qui fais les lois, Madison.

— Non. C'est *moi*! Et la loi dit que nous ne tuerons personne avant d'avoir compris ce qui se passe réellement dehors, dit Madison en caressant la tête de Twinkles. D'ailleurs, ce n'est pas la loi de la jungle, c'est la loi du *qui-mange-qui*...

VLAN ! Juste derrière elle, la main en décomposition d'un zombie jaillit à travers la porte du garage. Madison fit un bond de côté, mais la main en bouillie toute recroquevillée parvint à tirer Twinkles de ses bras avant qu'elle n'ait pu s'écarter.

Hache en l'air, Zack bondit, prêt à trancher le bras macabre, d'où pendaient des veines coupées et des lambeaux de peau arrachés. Mais avant qu'il ait pu l'abattre, Twinkles avait plongé ses petits crocs dans le pouce infecté. Un mince filet de jus noir jaillit de la blessure et le chiot fut relâché de l'emprise mortelle du zombie.

L'horrible bras se retira du trou de la porte du garage, laissant tomber Twinkles sur le ciment. La tête de la hache cogna contre le sol en projetant de vives étincelles orange. Un frisson de douleur remonta le long du manche jusque dans le poignet de Zack.

— Ouiillle ! glapit-il.

Comme Madison courait vers son chien, l'animal détala à toute vitesse dans le noir.

— Twinkles ? appela-t-elle. Reviens !

Mais Twinkles avait déjà filé à l'intérieur de la maison. Les grands yeux bleus de

Madison se rétrécirent, envahis par la haine, son visage se crispant sous la charge d'une folle colère. Elle se retourna brusquement pour se diriger vers le fond du garage. Elle revint du coin encombré de bric-à-brac en brandissant un vieil extincteur.

— Ouvre la porte, dit-elle, l'air assuré.

Elle avait désormais retrouvé la tranquille contenance que procure le sentiment de divine vengeance.

— Tu es bien sûre que ce truc fonctionne au moins? s'enquit Zack, pris de doute.

Madison dirigea l'extincteur vers les pieds de Zack et appuya sur la manette du décompresseur. La bombonne

rouge crissa et gargouilla tandis qu'une violente pluie blanche jaillissait du bec noir.

— Maintenant! ordonna-t-elle.

Il laissa tomber sa hache et appuya aussitôt sur l'interrupteur. L'engrenage se mit en marche, hissant lentement la porte du garage sur ses rails. Pendant que la porte remontait, une horrible puanteur de mort s'insinua à l'intérieur du garage, tandis que la vapeur d'azote se répandait dehors.

À l'extérieur, les zombies léthargiques traînaient leurs pieds crasseux en direction du grincement strident de la porte qui s'élevait. Madison enclencha le mécanisme de l'extincteur, le pouce pressant nerveusement sur la gâchette en fer luisant.

L'infortuné zombie, qui avait attrapé son chien, chancelait, pris dans un épais brouillard blanc, tandis que Madison projetait sur lui un long jet de mousse. Aveuglé par l'écume chimique, le zombie tituba vers l'avant, agitant les bras en direction de Madison.

Elle fit un bond sur sa droite pour esquiver la gueule couverte de mousse, et lança un magistral coup de pied de côté qui atterrit dans le bas du dos du zombie, envoyant le monstre s'étaler au milieu des poubelles disposées au fond du garage

— Alors, ça te plaît, saleté de sac à pus? hurla Madison.

Tirant les clés de sa poche, Zack bondit vers la Volvo et ouvrit la porte du conducteur pour s'installer au volant. À travers le pare-brise, il aperçut deux nouveaux zombies qui approchaient du garage en piétinant la pelouse.

Madison dirigea le bec de l'extincteur vers leurs visages tordus de rage et pressa à plusieurs reprises sur la valve, d'où plus aucune mousse ne sortait. Les zombies se penchaient en titubant l'un sur l'autre, leurs os déformés sortant des articulations, visages curieux et presque souriants, tandis qu'ils boitaient en avançant vers Madison.

— Zack, fais quelque chose ! cria Madison, qui reculait sur le bitume.

Zack tourna un peu trop loin la clé du démarreur, déclenchant un terrifiant *hiiiiiiiiiiiiiii*, puis appuya sur la pédale.

Il enfonça la pédale de l'accélérateur pour faire démarrer en trombe la Volvo, qui rentra dans les deux démons assoiffés de sang. Ils furent projetés en l'air, avant de retomber sur l'herbe.

Zack freina et sortit rapidement de l'auto.

— Madison, ça va ? demanda-t-il.

L'expression étonnée de Madison disparut en un clin d'œil lorsqu'elle se rendit compte que la Volvo dévalait lentement la pente de la pelouse.

Poussant Zack sur le côté, elle courut s'installer sur le siège avant du conducteur. Les roues s'arrêtèrent juste au ras des zombies inconscients, étalés de tout leur long sous les buissons.

— Il fallait mettre le levier en position *parking*, abruti, dit Madison, redevenant elle-même.

Elle alluma les phares. La chair toute ridée des zombies gargouillait dans la lumière crue.

Zack sauta sur le siège passager et attacha sa ceinture. Madison recula dans le chemin d'accès, prit la courbe et s'engagea en trombe dans la rue. Les yeux grands ouverts, Zack s'aplatit contre le dossier de son siège, tandis que Madison appuyait sur la pédale d'accélérateur pour foncer dans le Phœnix nocturne.

Sans cette lueur bleuâtre de télévision qui palpitait par la fenêtre du salon, la maison de Rice aurait eu l'air sombre et vide. Un sac à dos à moitié ouvert gisait sur les marches du perron.

— C'est son sac à dos, murmura Zack. Mais je ne vois pas Rice.

Madison plissa les lèvres en se regardant dans le rétroviseur.

— Nous sommes censés attendre ce gamin jusqu'à quand ?

— Je n'en sais rien. Il devrait être ici.

Zack descendit la vitre électrique.

— Psssst… Rice ? appela-t-il dans un chuchotement forcé.

— Oh là là, qu'est-ce ça pue ici ! s'exclama Madison, en respirant l'air nauséabond.

Une odeur de moisi flottait dans l'humidité de la nuit. Elle se pinça le nez pour respirer par la bouche.

— Beurk, ça a même un sale goût !

Ouais, pensa Zack, *toute cette nuit pue.*

Juste à ce moment-là, Rice surgit du coin arrière de la maison, au bout du chemin.

— Le voilà ! s'exclama Zack, montrant du doigt une silhouette trapue et costaude se dandinant vers la rue.

— Dis-lui de se grouiller, implora Madison.

— Allez, Rice, vite, il faut que nous partions d'ici ! le pressa Zack.

Mais Rice ne répondit pas. Il avançait d'un pas long et lent, chancelant d'avant en arrière.

Quand il sortit de l'ombre, les bras de Rice flottaient devant lui, un peu comme ceux d'une marionnette maintenue par des fils. Son visage était maculé de croûtes noires et de pustules roses.

— Arrrgggghh ! grogna-t-il en avançant sur la chaussée.

— Ce type-là ne va *tellement* pas monter dans la voiture, dit Madison, en enclenchant la première.

— Attends, dit Zack en clignant des yeux pour mieux regarder son ami.

Les yeux de Rice brillaient du même regard absent que les autres : un regard quasi en transe qui semblait vouloir brouiller la différence entre les vivants et les morts-vivants.

Le zombie Rice bondit en se précipitant vers la voiture.

— Aarrrrrggghh ! gémit-il en frappant rageusement le capot.

Zack et Madison hurlèrent ensemble.

— Ceeerveeaauux ! entonna Rice. Ceeerveeaauux !

Ce cri fut suivi d'un gloussement rauque.

Zack poussa un soupir de soulagement en constatant que son ami revenait à l'humanité. Rice courut sur le perron, attrapa son sac et sauta sur le siège arrière.

— Je vous ai bien eus, non? pavoisa Rice en remontant la fermeture à glissière de son sac à dos.

— Ce n'est pas drôle, dit Zack.

— Oh, ça va, c'était pour rire.

Tel un impitoyable sergent instructeur face à un bleu impudent, Madison se retourna pour saisir Rice par le col de la chemise. Mais son visage pustuleux lui fit vite lâcher prise.

— Beeeurk, dit-elle. Mais qu'est-ce qu'ils ont tous avec tous leurs boutons?

— Ce n'est pas de l'acné, murmura Rice. C'est la varicelle.

— Est-ce que ce type est vraiment indispensable? demanda Madison en se tournant vers Zack.

— Je crains que oui, Madison, dit Rice crânement. Par exemple, je sais que tu ferais mieux de savoir ce que je sais. Parce que je sais ce que nous devons faire. Et ce que nous devons faire à la minute, c'est trouver du ginkgo biloba.

— S'agit-il du nouveau correspondant du collège en provenance de Tokyo ? demanda Zack.

— Ce n'est pas une personne, Zack, c'est une chose, précisa Rice. Et il va nous en falloir un maximum si nous voulons survivre cette nuit.

— Du ginkgo ? C'est ça, ton plan miracle ? pouffa Madison. Tu en as déjà vu quelque part, toi ?

— Des zombies ? Ouais, j'en ai vu pas mal, se défendit Rice. Je les regarde sans arrêt aux actualités. Tu insinues quoi au juste ?

— Eh bien, Rice, articula clairement Madison, comme si elle s'adressait à un petit enfant. C'est un tout petit peu différent quand ils essayent de vous étriper, tu vois.

Elle relança la Volvo sur la chaussée déserte.

— Pas la peine d'en rajouter, dit Rice en exprimant sa déception. Je suis suffisamment jaloux comme ça. Mon quartier est teeellement ennuyeux.

Il faut dire que Rice vivait dans une petite enclave faite de culs-de-sac et de sens uniques que l'attaque de zombies avait totalement épargnée.

— Tu tiens tant que ça à voir des zombies ? demanda Madison en hochant la tête. Et pourquoi donc ?

— Pour la même raison que des gens pourchassent des tornades. Parce qu'elles et eux sont tout simplement hallucinants ! dit Rice. Mais le principal n'est pas là. Selon mes recherches sur Internet, le ginkgo biloba possède un principe qui peut, disons, faire fuir les zombies ; un peu comme l'ail fait fuir les vampires…

— Un peu comme l'effet produit sur moi par ton visage couvert de pustules, asséna Madison.

— Elle est toujours aussi marrante, Zack ?

— Je suis la personne la plus drôle du monde, railla Madison, qui ne voulait à aucun prix lâcher prise.

— Allons, du calme les amis, intervint Zack en levant les mains tel un professeur remplaçant qui essaierait de reprendre la maîtrise d'une salle de classe tapageuse. As-tu eu vent de quoi que ce soit d'important aux dernières nouvelles, Rice ?

Zack voulait des faits, pas des théories fumeuses issues de la tête de son copain.

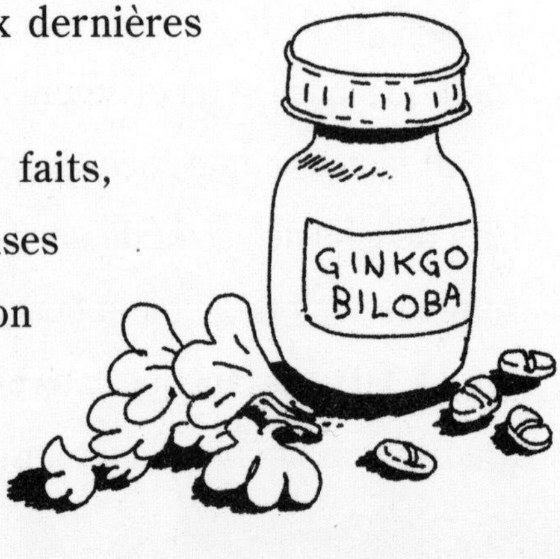

— Eh bien, j'ai essayé, mais le journaliste a été dévoré en plein reportage sur le terrain.

— Ils l'ont mangé ? demanda Madison, totalement révoltée.

— Ouais, intégralement. Un zombie sorti de nulle part faisait des trucs du genre « bouh ! » pendant qu'un autre tranchait la gorge du type. Il y a eu du sang plein la caméra et…

— Bon ça va, nous avons compris, dérangé, dit Madison.

— Revenons au ginkgo, riposta Zack.

— OK, je ne sais pas si c'est le ginkgo ou le biloba qui est supposé prévenir la détérioration des cellules dont sont frappés les zombies, et améliorer les fonctions du cerveau dont sont dépourvus les zombies. De plus, l'arbre ginkgo, qui n'attrape jamais de maladies, éloigne naturellement les insectes. Tout est lié, mon vieux ! Voilà l'ail antizombies ! Tu piges ?

Pas vraiment, pensa Zack, qui, tel un zombie, fixait son copain hyper zélé.

— Tout ça n'a absolument aucun sens, déclara Madison.

— C'est *toi, Madison*, qui n'a aucun sens, railla Rice à son tour. Zack, es-tu bien sûr que tu n'as tapé que sur la tête de Zoé ce soir ? Cette fille a-t-elle déjà conduit ? Nous faisons à peu près du 10 à l'heure dans une zone de 50.

— La ferme, binoclard ! le rabroua Madison en s'engageant dans une courbe. J'essaie pour le moment de m'habituer à l'auto.

— Lâche-lui les baskets, Rice. Ce n'est pas comme si elle avait son permis, et tu n'atteindrais même pas les pédales.

— Pardon, Madison, s'excusa Rice à contrecœur. Je ne cherchais pas à te traiter comme un chien.

— Un chien… geignit Madison avec un petit cri strident.

Ses yeux se remplirent de larmes, mais elle retint ses sanglots.

— Pauvre Twinkles !

La voiture, mal dirigée, quitta le centre de la route.

— C'est qui, Twinkles ? demanda Rice.

— Twinkles, c'était... enfin je veux dire *c'est* son chien, expliqua Zack. Il s'est enfui tellement il a eu peur.

— Oh là là, ça craint ! Vous savez ce qu'on dit : lorsqu'un zombie ne peut trouver de la chair humaine à dévorer, il s'en prend aux petites bêtes comme les écureuils, les rongeurs ou...

— Mec ! s'écria Zack.

— Sans blague, mais d'où sors-tu ce perdant ? postillonna Madison au milieu de ses pleurs. Qu'est-ce qu'il est méchant !

La voiture se remit à faire des embardées.

— C'est mon meilleur ami, admit Zack.

— Ton meilleur ami, vraiment ? demanda Madison, reniflant et reprenant la maîtrise de l'auto. Tu as de gros problèmes.

À cet instant précis, la Volvo fit un saut pour retomber lourdement, comme si elle venait de passer trop vite sur un dos d'âne. Rice, qui n'avait pas cru utile de boucler sa ceinture de sécurité, rebondit sur le siège arrière. Madison appuya sur les freins. La voiture s'immobilisa au milieu de la route.

— C-c'était quoi ça ? bégaya Zack.

Tous trois se mirent à scruter autour d'eux et par la vitre arrière. Tout ce qu'ils voyaient derrière eux, c'était la chaussée, totalement déserte.

— Ne devrions-nous pas sortir pour voir ? demanda Madison en se préparant à détacher sa ceinture.

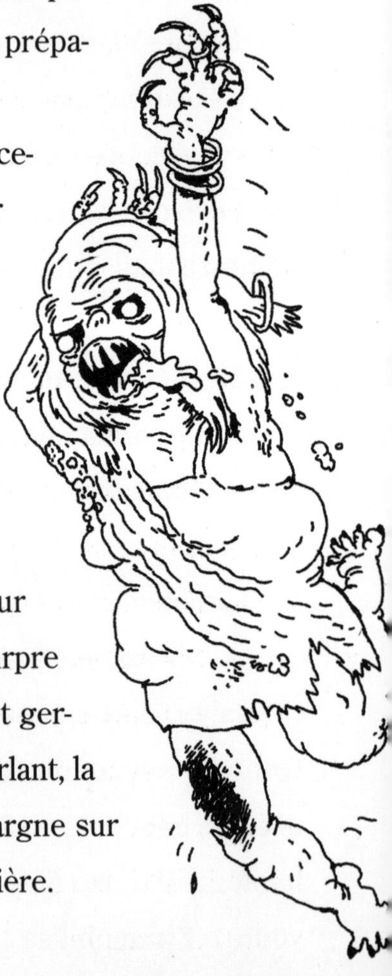

Rice poussa un cri en apercevant une femme zombie bondir du trottoir. Toute raide et tordue, elle portait un t-shirt déchiré, et la marque d'un pneu chargé de boue s'était incrustée sur son ventre. Ses yeux morts et argentés se teintaient de rouge à la lueur des feux arrière. Une bave pourpre coulait de ses lèvres écaillées et gercées. Tout en grondant et en hurlant, la femme zombie s'élança avec hargne sur la voiture pour s'agripper à l'arrière.

— Fonce ! hurla Zack.

Madison appuya sur l'accélérateur. L'enragée s'accrochait au pare-chocs arrière.

— Aaaaaahh ! s'écria Madison, en braquant brusquement à droite, puis à gauche, ce qui déséquilibra la femme zombie.

Elle tomba et roula dans l'herbe.

— Madison, attention ! lança Zack alors que l'auto tanguait d'un bord à l'autre de la chaussée. Ils sont partout !

Devant eux, la route était bondée de corps à peine ressuscités, qui se redressaient en cascade comme une chute de dominos inversée. La Volvo zigzagua lentement dans la course d'obstacles zombie, mais un problème bien plus inquiétant pointait à l'horizon. Un groupe compact de zombies paradait dans une rue, précisément celle qu'ils devaient prendre.

— Fonce dans le tas, Madison ! cria Rice.

— Mais nous allons les écraser, répliqua-t-elle.

— Justement, fonce ! ajouta Zack.

Après avoir contourné le dernier zombie, Madison enfonça la pédale de l'accélérateur. Le moteur vrombit. L'aiguille du compteur grimpa. Trente kilomètres-heure ! Cinquante !

— Plus vite ! implora Zack.

Soixante kilomètres-heure !

Les zombies se bousculaient sur le passage clouté. Une procession nauséabonde et putride de damnés réduisait l'espace disponible.

Tous trois retirent leur souffle. Juste avant que la foule des mutants n'atteigne le trottoir, Madison braqua le volant à droite.

Les pneus crissèrent lorsque les roues grimpèrent sur le trottoir. Zack, Rice et Madison, pétrifiés, furent projetés vers la gauche du véhicule qui dérapait. Au coin de la rue, le pare-chocs avant accrocha une boîte aux lettres bleue qui, en se renversant, propulsa un chapelet d'enveloppes blanches ainsi que des catalogues luisants. La Volvo se dirigeait maintenant tout droit sur un poteau téléphonique.

Madison réussit un écart, évitant la collision de justesse. Elle redressa les roues en agrippant le volant aussi fort que possible, et les pneus, dans un crissement à vous vriller les tympans, retrouvèrent leur adhérence sur le bitume. Après dissipation de la fumée du caoutchouc brûlé, ils purent distinguer le cortège de zombies derrière eux.

— Nous avons réussi ! beugla Zack

— C'était du délire ! ajouta Rice

Madison freina brusquement et la voiture s'immobilisa. À travers le pare-brise, Zack contemplait le capot défoncé de la Volvo. *Comment vais-je pouvoir expliquer la chose ce coup-ci* ? se demanda-t-il en se frottant les tempes.

— Avant d'aller plus loin, annonça Madison, je dois vous prévenir que je n'aime pas du tout faire des courses ailleurs que chez Whole Foods.

— Nous n'allons pas faire des courses, corrigea Rice, mais nous procurer de l'ail antizombies, tu te souviens ?

— Oui, enfin, peu importe le truc, concéda Madison. Il est où cet endroit ?

— Deux rues plus loin, dit Rice.

— Tout ce que je veux dire, continua-t-elle, c'est qu'ils ont un choix bien meilleur de produits sains chez Whole Foods que chez Albertsons.

La Volvo serpenta sur la double ligne jaune en descendant jusqu'au carrefour suivant. Au-delà, une camionnette de la chaîne 7 d'actualités était stationnée sur le bas-côté. Le disque du satellite accroché sur le toit effectua une brève rotation en clignotant. En passant à côté, ils constatèrent que la porte coulissante était restée ouverte. Le conducteur assis au volant dévorait un double cheeseburger bien gras, au piment.

— Dégoûtant! objecta Madison.

Le chauffeur avaleur de burger engouffra une dernière bouchée de malbouffe gluante en se décrochant la mâchoire. Soudain, le gars se raidit et se mit à trembler comme une feuille. Il toussa violemment, crachant des petits morceaux de pain humide qui jaillirent de sa bouche ouverte. Pris de trois convulsions, il s'effondra ensuite sur le siège et ne bougea plus.

— Hé, vous avez vu ça? demanda Rice. Il s'est étranglé à mort en mangeant, c'est ça?

— Nous devrions aller voir s'il va bien, dit Madison en freinant.

— Pas question, répondit Rice. C'est chacun pour soi!

Ils dépassèrent la camionnette et regardèrent à travers le pare-brise. Un gros barbu trimbalait une énorme caméra de reportage. Une femme rousse hystérique en talons hauts trottait derrière lui, un micro à la main. Tous deux couraient vers la camionnette.

— Qu'est-ce qu'ils fuient donc ? dit Zack.

— Devine, imbécile ! répliqua Madison.

Au moment où le duo de la chaîne 7 atteignait la camionnette, le chauffeur évanoui jaillit du siège avant et, bondissant tel un puma enragé sur le caméraman, il le déchiqueta.

— Meeec ! Nous pouvons partir d'ici s'il te plaît ? hurla Rice.

Mais juste devant eux, des zombies de plus en plus nombreux parcouraient la rue principale en entrant dans le parc de stationnement du supermarché.

Couvert de milliers d'éclats de verre, l'asphalte scintillait. Des sacs d'emballage vides, poussés par une chaude bourrasque, s'enroulaient autour des pieds traînants des zombies.

Le magasin Albertsons était complètement infesté. Le troupeau maladroit renversait les étagères bien fournies, dévastant tout l'intérieur du magasin.

— Je vous avais bien dit qu'il fallait aller chez Whole Foods, dit Madison.

— Nous n'allons pas chez Whole Foods, compris? ordonna Rice. C'est à vingt minutes d'ici. Fais demi-tour. Il y a un autre Albertsons à environ six pâtés de maisons d'ici.

Tout à coup, quelque chose vint cogner le pare-brise.

— Aaah! s'écria Madison.

Ça n'était rien d'autre qu'un graisseux emballage de restauration rapide.

Le logo représentait un teckel hilare, avec une tête en forme de hamburger, et un corps étiré en hot-dog.

— Beurk! cria Madison en actionnant les essuie-glaces.

— Qu'est-ce donc qu'un BurgerDog? demanda Zack à Rice en déchiffrant à travers la vitre ce qui était inscrit sur l'emballage.

— Tu n'as pas vu la pub ? C'est une nouvelle boîte de restauration rapide. Il s'en ouvre dans tout le pays ce week-end. C'est un hot-dog qui ressemble à un hamburger. Enfin, quelque chose du genre…

— Affreux.

Madison remit les gaz.

Le second Albertsons, qui occupait presque la moitié d'un pâté de maisons de la rue principale, brillait au loin. Madison entra dans le parc de stationnement vide et gara la Volvo. Le trio sauta de la voiture pour se précipiter sous l'auvent bleu, qui protégeait la porte du magasin déserté. Ils jetèrent un coup d'œil à travers la longue enfilade de vitrines. Rice tira d'un coup sec sur la poignée de la porte automatique, mais elle ne céda pas. Il pressa sur le bouton bleu pour handicapés encore et encore, mais rien ne se passa.

— OK, M'sieur Ginkgo, dit Madison. Comment allons-nous entrer là-dedans d'après toi ?

— Suivez-moi.

Rice leur signala un passage. S'insinuant dans l'allée latérale après avoir dépassé la plateforme de chargement, il les conduisit à l'arrière du bâtiment.

L'arrière de l'épicerie était un bloc plat en ciment, sur deux niveaux. Des deux côtés, des échelles de sécurité incendie descendaient à l'oblique depuis des portes rouges, situées aux coins les plus élevés du bâtiment. Au rez-de-chaussée, une benne à ordures bleue de taille industrielle côtoyait une double porte en fer noir se trouvant au centre du mur extérieur. Au-dessus de la benne, il y avait une fenêtre à demi ouverte.

Rice essaya d'entrouvrir les portes de service du bout des doigts, mais elles étaient toutes les deux attachées et verrouillées de l'intérieur.

— Fabuleux, Rice, où en serions-nous sans toi ?

— Chez Whole Foods ? blagua-t-il.

— Là !

Zack grimpa sur le bord en métal bleu de la benne remplie d'ordures. Se redressant, il ouvrit grand la fenêtre et se faufila par l'ouverture, sautant ensuite dans la réserve sombre.

Madison le suivit, écœurée par le tas de déchets puants. Puis, vint Rice. La respiration sifflante, il s'appuya sur l'épaule de Madison pour ne pas perdre l'équilibre.

— Bas les pattes, nullard ! lança-t-elle avec mépris.

— Vos désirs sont des ordres, rétorqua Rice, grattant un bouton tout gonflé de varicelle qui pointait sur sa joue.

— Beeuurk… grommela Madison en soupirant.

— Ça me démange, expliqua Rice.

À l'intérieur, Zack avait trouvé un petit escabeau sur lequel se tenir, et il passa une main à travers la fenêtre. Madison n'hésita pas à la saisir. Parvenue à mi-chemin, elle s'agenouilla sur le rebord en baissant la tête, dans une position étrange.

— Qu'est-ce qui se passe ? s'enquit Zack

— Ma jupe est coincée, répondit Madison.

— Oh, vas-y, s'exclama Rice.

— Non ! C'est une jupe Juicy Couture, dit-elle en dégageant prudemment le tissu coincé. Ça y est, je l'ai eue !

Elle perdit soudain l'équilibre, et son pied, glissant sur le bord de la fenêtre, alla frapper Rice au cou, l'envoyant ventre premier s'affaler en plein dans les déchets puants et gluants.

— Aaaaaaah ! cria-t-il.

Madison tomba en avant sur Zack, qui s'effondra à son tour, avant que l'arrière de son crâne ne heurte brutalement le sol en lino en émettant un bruit sourd. La tête se mit à lui tourner. Sa vision se brouilla et la scène fondit au noir.

— Zack ! Zack ! s'écria Madison en le secouant par les épaules.

Trois Madison floues se penchaient sur lui. Les deux Madison les plus confuses de droite rejoignirent celle de gauche pour ne former enfin qu'une seule vraie Madison au centre. Leurs regards se rencontrèrent et se détachèrent à nouveau.

— Quoi ? Que se passe-t-il ? demanda-t-il.

— Zack, je suis désolée. C'est complètement de ma faute, admit Madison.

Derrière eux, Rice tâchait de se glisser péniblement à travers la fenêtre en piaillant de douleur. Il était coincé, son ventre grassouillet ballottant sur l'appui de fenêtre. Une peau de banane pleine de taches noires tomba de sa tête.

— À l'aide ! grogna-t-il.

Madison s'approcha nonchalamment de lui en roulant des yeux horrifiés.

— Mais tu es couvert d'ordures...

Elle hésita et fit semblant de l'épousseter.

— S'il te plaît, Madison !

— Bien, dit-elle.

Les mains de Madison tenaient le pull détrempé et couvert d'immondices de Rice pendant qu'il tentait de se faufiler par-dessus le rebord.

— Trop infect ! s'exclama-t-elle en le laissant tomber.

Rice s'effondra tête première sur le sol. Il se recroquevilla comme une grosse pelure de patate en grimaçant de douleur.

Assis, complètement ahuri, Zack se frottait la tête. Madison marcha lentement vers lui et essuya ses mains couvertes de crasse sur ses manches. Repositionnant ses lunettes, Rice farfouilla dans son sac à dos et en sortit deux lampes de poche. Il dirigea le rayon puissant sur le visage inerte de Zack.

— Arrête ça ! cria Zack, furieux, plissant les yeux et bloquant le rayon de lumière aveuglant de la main.

Allons chercher ce fameux « bingo globula » et voyons si tu as raison.

— Ginkgo biloba, corrigea Rice. Et ça marchera.

— Ça m'a plutôt l'air d'une giclée de blablabla ton truc, plaisanta Madison. Et ouais, il vaudrait mieux que ça marche !

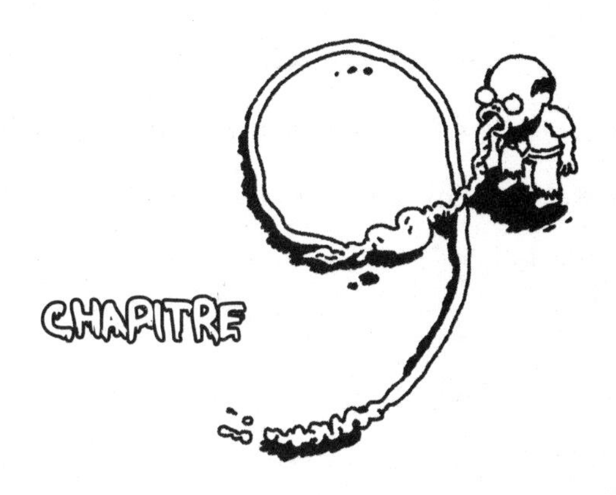

La lune luisait à travers les vitrines du magasin, se réfléchissant sur le sol lustré. Debout à côté de la longue file de tapis roulant des caisses enregistreuses, Zack, Madison et Rice observaient l'immense parc de stationnement à l'extérieur.

— Ils peuvent entrer en enfonçant les portes par ici, fit remarquer Zack.

— Facilement, dit Madison.

— Quel spectacle ça serait ! murmura Rice en récupérant un chariot derrière la ligne des caisses.

Ils se glissèrent à pas de loups au milieu des allées imposantes, et atteignirent le rayon des vitamines sur la pointe des pieds. Le rayon était rempli de grands contenants blancs de poudre de protéine ainsi que de pots en plastique brun foncé, portant des étiquettes avec toutes les lettres de l'alphabet. *Zinc. Non. Calcium. Non. Ail... Huile de foie de morue. Échinacée ? Millepertuis ? C'est quoi tout ça ?* pensa Zack.

— Ginkgo biloba ! Voilà ! s'écria Zack.

Ils dévalisèrent les quatre étagères de pilules antizombies et les déversèrent dans les chariots. Comme ils poussaient leurs provisions vers le fond du magasin, Zack aperçut le reflet horrifié de Madison dans la glace ronde du rayon de boucherie. Des carcasses de poulet cru, des poissons aux yeux globuleux et des crevettes géantes reposaient sur l'étal, ainsi que des pavés de bifteck et des monticules de viande hachée. Ils s'arrêtèrent au rayon des surgelés, illuminé en permanence de bleu, d'où ils aperçurent un ascenseur. Ils poussèrent dedans le chargement de ginkgo et montèrent au premier étage.

Une fois en haut, les portes se refermèrent derrière eux, et Rice, Madison et Zack examinèrent le long couloir en face d'eux. Une mince lueur brillait par

la fente étroite d'une porte entrouverte, au bout du couloir. Une pancarte sur la porte portait la mention BUREAU DU DIRECTEUR.

Les roues du chariot grincèrent quand ils le poussèrent à travers la porte ouverte. À l'intérieur, sous des plafonds très bas, une vaste étendue de dalles sales en ciment beige formait le plancher. Une carpette à franges bon marché couvrait le sol devant un canapé brun en vinyle, installé face à un grand téléviseur à écran plat. Plus loin, le long du même mur, une porte ouvrait sur une petite cuisine équipée avec un évier, un frigo et deux plans de travail sales. Un cafard fila derrière le four à micro-ondes. Le bureau était entièrement peint d'un vert vomi et il sentait la vieille serpillière.

— Cet endroit est parfait, dit Rice en pivotant.

— Tu plaisantes ? marmonna Madison.

Zack guida le chariot jusqu'au bureau et y transféra le ginkgo biloba. Il vida une montagne de gélules grises sur le bureau du directeur et en ouvrit une en deux. Une petite dose de poudre coula sur le calendrier sous-mains.

— Il nous faut combien de grammes de ce truc ? s'enquit Zack.

— Un bon paquet, mec, répondit Rice en examinant son visage dans le miroir.

Il inspectait les boutons rouges recouvrant son visage.

— Madison, tu ferais mieux de l'aider, indiqua Rice en prenant une petite bouteille de liquide rose obtenue sur ordonnance ainsi que quelques cotons-tiges de la poche de son chandail.

Il dévissa le bouchon et tapota ses boutons avec les petits bâtonnets de coton roses et visqueux.

— C'était ton idée, sale petit bâtard boutonneux, se plaignit Madison.

Rice se laissa choir sur le sofa en levant les jambes, le visage tout couvert de produit apaisant formant des taches rosâtres.

— La varicelle, c'est sérieux ! Il n'y a pas si longtemps, on en mourait encore.

— Je vais ouvrir une fenêtre, dit Madison en lançant un regard entendu vers Rice. Il fait trop chaud ici.

Elle ouvrit la fenêtre, jeta un coup d'œil au parc de stationnement et s'approcha de Zack devant le bureau.

Zack avait déjà ouvert environ une douzaine de capsules et la pile de poudre de ginkgo avait à peine la taille d'une petite fourmilière.

Rice soupira et, trouvant la télécommande enfouie sous un coussin du canapé, il alluma la télévision.

— Nos dernières informations vous sont proposées par… BurgerDog. *Le hamburger au goût de chien* ! annonça la voix de la pub.

Le petit chien en forme de saucisse et au sourire en coin se dandinait à l'écran en aboyant. Sa tête avait la forme d'un hamburger, et ses oreilles jaillissaient du petit pain. Son nez sortait du bœuf haché couleur chair.

— Tu viens nous aider ou quoi, Rice? brailla Zack.

Le journal télévisé de 23 h débutait tout juste à la télé par des nouvelles de dernière minute sur l'infestation zombie :

— Bienvenue à nouveau, Phœnix. Ici Cliff Hemmings. Je vais tâcher de vous donner les nouvelles les plus fraîches concernant, ce qu'il faut bien appeler pour de bon, *La Nuit des morts-vivants.* Apparemment, nous ne serions pas les seuls à la subir puisqu'elle a lieu dans tout le pays!

— Vous avez entendu ça? demanda Rice. Ça se passe partout au même moment!

— Rice, ça prend un temps fou, se plaignit Zack en tapotant une autre gélule pour en faire sortir le contenu.

Madison se mit à taper sur les capsules de ginkgo avec le talon de sa chaussure. Elle ne s'arrêta que lorsque la poudre blanche gicla dans les airs.

— Arrête! cria Rice. T'es dingue ou quoi?

— C'est quoi le problème? dit-elle joyeusement en éparpillant le nouveau tas de poudre de ginkgo telle une guillerette assistante de jeu télévisé.

— Tu ne sais pas que les zombies sont dotés d'une écoute à longue portée ? la tança Rice.

— Ah bon, dé-so-lée, dit Madison en remettant son pied dans son soulier.

Le présentateur du journal télévisé fit place à une reporter aux cheveux roux tenant un micro.

— Hé, dit Zack en désignant l'écran du doigt. C'est la journaliste que nous avons vue dans la rue.

Cessant leurs chamailleries, Madison et Rice se tournèrent vers le téléviseur.

La reporter rousse surexcitée parlait à toute vitesse :

— Nous sommes ici pour l'inauguration de la nouvelle chaîne de restauration rapide BurgerDog. Ce qui avait débuté en une joyeuse et familiale distribution gratuite de hamburgers s'est transformé en une mêlée sauvage de *mangez ou soyez mangé*. Les zombies que vous apercevez là sont sortis de nulle part...

Tandis qu'elle parlait, un adolescent revêtu d'une tenue de soccer jaillit du groupe en désordre des zombies et se précipita derrière la journaliste, en s'agitant et en faisant de grands signes. Il fit une grimace devant la caméra, puis disparut.

— Ce n'était pas…

Zack ne pouvait en croire ses yeux.

— Greg Bansal-Jones ! s'extasia Madison.

Moooouuaaaaahhhhh !

— Vous avez entendu ça, les amis ? dit Rice en éteignant la télé.

— Rice, arrête de faire l'andouille, dit Zack.

— Ce n'était pas moi, mec…

Mooooouuaaaaahhhhhhhh !

Zack, Rice et Madison écoutaient leurs battements de cœur. Les secondes passaient, aussi longues que des minutes, tandis qu'ils attendaient, tétanisés, dans le silence qui suivait le hurlement caverneux du zombie.

Mooooouaaaaaahhhhhhhhhh! Pas d'erreur, c'était bien le cri de bataille du zombie.

— Ça vient d'où ? demanda Zack en courant jusqu'à la porte du bureau pour inspecter le couloir.

Rien.

Mooooouaaaaaahhhhhhhhhh!

Bang! *Crac*! *Flop*! Les fenêtres tremblèrent et claquèrent, et un tintement de vitres brisées tombant sur le sol retentit au milieu de gémissements enragés.

— Ils sont là, juste devant! hurla Madison en courant vers la fenêtre, suivie de près par les garçons.

La horde de zombies s'entassait sous l'auvent bleu, franchissant la devanture brisée.

— Vite! Il faut que nous repartions par où nous sommes arrivés! dit Zack.

Ils se précipitèrent hors du bureau, dans le couloir, et marquèrent une pause devant l'ascenseur trop lent, avant de se décider à dévaler les escaliers en ciment.

En bas, au milieu des allées sombres de l'épicerie, un groupe d'une trentaine de zombies, peut-être plus, accélérait devant le rayon des magazines. Une main déchiquetée cogna sur une caisse enregistreuse pour l'ouvrir. Du pus de zombie ensanglanté gicla sur les liasses de billets bien rangés.

Le trio se rua vers l'arrière du magasin et traversa les bandes du rideau en plastique, surmontées du signe EMPLOYÉS SEULEMENT. Ils s'engouffrèrent ensuite dans un long couloir à peine éclairé par la lueur rouge du signal lumineux qui, tout au bout, indiquait SORTIE. Zack leva la barre de métal bloquant la porte. Madison et les garçons s'élancèrent dehors.

Le parc de stationnement arrière était envahi de zombies, un peu comme une sortie de concert de heavy métal bloquée par une foule d'admirateurs excités. Une centaine de paires d'yeux égarés les dévisageaient. Pas moyen de s'échapper.

Quand Zack claqua la porte, ils entendirent un bruit sourd et osseux. La porte s'était refermée sur un épouvantable hurlement de zombie. Une main noueuse, dont il ne restait que le moignon tranché dans la charnière de la porte, pendait, quatre de ses doigts fracturés frétillant toujours à la jointure. Zack et Madison poussaient de toutes leurs forces contre la porte noire, pendant que la meute en délire se déplaçait vers l'accès de derrière. Rice fit plusieurs pas en arrière, se lançant de tout son poids contre le chambranle de la porte. VLAN ! Sauvés. La main du zombie avait disparu. Enfin presque.

Le poids de Rice contre la porte avait eu pour effet de sectionner les doigts du zombie, qui s'étaient mis à danser sur le sol. Zack replaça la barre de sécurité sur la porte, tandis que la bouche de Madison restait béante de dégoût.

— Incroyable !

Coudes relevés et mains sur les hanches, Rice ajouta :

— Maintenant, nous avons des spécimens.

— Que veux-tu dire par spécimens ? interrogea Madison.

— J'ai vu ça dans un film. Les zombies avaient réussi à maîtriser la planète entière, et des scientifiques avaient besoin de spécimens pour les tester en laboratoire.

Rice sortit un sac de plastique refermable de son sac à dos et collecta les doigts flasques. Il brandit le sac transparent sous le nez de Madison.

— Zack, dis-lui d'arrêter ! supplia Madison.

Mais Zack était déjà reparti, courant à l'intérieur du magasin.

— Zack ! s'écrièrent-ils ensemble. Où vas-tu ?

Au moment où Madison et Rice le rejoignirent, il avait réussi à esquiver les zombies et était en train de traîner de lourds sacs de briquettes de charbon de bois dans l'ascenseur.

— Nous allons nous faire un barbecue, expliqua-t-il.

Rice et Madison le dévisagèrent sans comprendre.

— Aidez-moi juste à charger ces sacs.

Ayant déjà parcouru la moitié du rayon alimentation, les zombies se rapprochaient rapidement.

— Rice. Tu vas décharger les sacs et les transporter jusqu'au bureau, d'accord?

— Tout seul?

— Je vais l'aider, dit Madison en se portant volontaire et en sautant dans l'ascenseur.

— Je vais chercher de l'essence pour l'allumage, dit Zack. Renvoyez l'ascenseur dès que vous aurez fini, je vous retrouve là-haut...

Les portes de l'ascenseur se refermèrent.

Zack fila comme une flèche dans l'allée sept du magasin et ouvrit un paquet de sacs-poubelle noirs pour y jeter une grande boîte d'allumettes. Il fit également glisser du rayon supérieur de l'essence à briquet qu'il ajouta dans le sac.

Mais Zack n'était pas le seul à faire ses courses.

Un couple de zombies forcenés renversait des étagères, faisant tomber une rangée de papier toilette et d'aérosols.

La femme zombie avait l'air de ne pas avoir dormi depuis des lustres. Des poches marron foncé auréolaient ses yeux injectés de sang. Elle avait perdu l'oreille droite et des filets de sang lui coulaient dans le cou. Elle portait un t-shirt sur lequel était écrit JE SUIS AVEC UN IMBÉCILE.

L'imbécile ne semblait guère mieux. Ses

deux lèvres avaient disparu, le bas de son visage faisant place à une entaille ensanglantée. Des gencives rétractées dévoilaient les racines de ses dents. On avait l'impression qu'il venait de gagner au concours de qui mangera le plus de tarte à la cerise.

M. et Mme Zombie avançaient avec des mouvements saccadés et brusques tels des robots.

En dérapant, Zack contourna le coin avec son sac plastique rempli de son butin inflammable, mais voilà que d'autres zombies lui barraient maintenant la route vers la cage d'escalier. N'ayant plus d'autres choix, Zack escalada les étagères jusqu'au sommet.

Le supermarché était bondé, il y avait des zombies partout. Ils titubaient de tous côtés, manifestant tous les symptômes affligeants d'un manque de viande.

Une douzaine de bras de zombies, étirés hors de leurs articulations, saisirent Zack par les pieds. Il piétina les mains qui le tâtonnaient et s'élança en vol plané au-dessus des monstres baveux.

Il atterrit un peu en déséquilibre, tandis que l'étagère mal fixée vacillait et tanguait, menaçant de basculer. Un faux mouvement et tout pouvait s'effondrer. Il serra le sac-poubelle avec force dans sa main et se prépara à sauter.

À cet instant précis, l'ensemble des rayonnages bascula vers l'arrière, produisant un effet en chaîne d'étagères qui tombaient les unes sur les autres, en ensevelissant les zombies sous un tas de métal tordu, de salsa épicée, de grignotines à saveur de fromage et de bouteilles de deux litres.

Ayant réussi à échapper à la pile de malbouffe et aux griffes de zombies, Zack se cacha dans un espace trouvé derrière un casier rempli d'un assortiment de DVD en promotion : *Les petits pieds du bonheur*, *Les rois du surf*, *Ne vous retournez pas*.

Zack haleta, les yeux fixés sur la porte de la cage d'escalier.

Un zombie en débardeur, aux épaules poilues avec une coupe mulet frisée et qui portait un caleçon couvert de dessins de visages souriants, se tenait pieds nus devant la porte. Il appuyait ses orbites contre la mince fenêtre quadrillée.

Au-dessus de l'ascenseur, le numéro du deuxième étage était toujours allumé. *Allez, Rice, qu'attends-tu pour me le renvoyer*! se dit Zack en serrant son sac. Il jeta un coup d'œil derrière son épaule droite.

Une zombie meneuse de claque aux jambes entrecroisées se traînait sur le lino lisse en se servant de ses mains moites. *Tape, tape… tire. Tape, tape… tire.* Ses jambes disloquées de ses hanches ne lui servaient plus à rien, et une plaque de gale rouge écaillée lui mangeait la moitié du visage. Elle regarda Zack avec des yeux de démente.

Le zombie qui bloquait la cage d'escalier tourna la tête trop vite, et son œil droit jaillit hors de son orbite violette, comme une balle en caoutchouc hors d'une raquette de jokari. Il fit un son identique à celui produit lorsqu'on tend puis relâche l'intérieur de sa joue avec son index. Une salive orange et opaque dégoulina le long du menton du gros lard à la mâchoire avancée.

Ding!

Le numéro un s'alluma enfin, et les portes s'ouvrirent. Zack s'élança en direction de l'ascenseur.

Il perdit l'équilibre en route, courant plus vite que ses pieds ne pouvaient le porter, puis lança un rapide coup d'œil au globe oculaire qui se balançait au bout d'un tendon bleu étiré.

La goule se traînait sur le sol carrelé en émettant des bruits de succion. Ses pieds enflés martelaient le sol, laissant derrière eux une traînée de substance visqueuse gris-vert. Zack tomba. Glissant sur le torse, il se faufila entre les jambes suintantes du monstre qui étaient également couvertes de pus répugnant. Le zombie se courba en deux, laissant ses bras flasques balayer le sol. Le globe oculaire, qui pendouillait comme un pendule, vint heurter Zack derrière l'oreille. *Aaaah, vacherie*! Zack atterrit dans la cage de l'ascenseur, les bras étendus comme ceux d'un Superman articulé

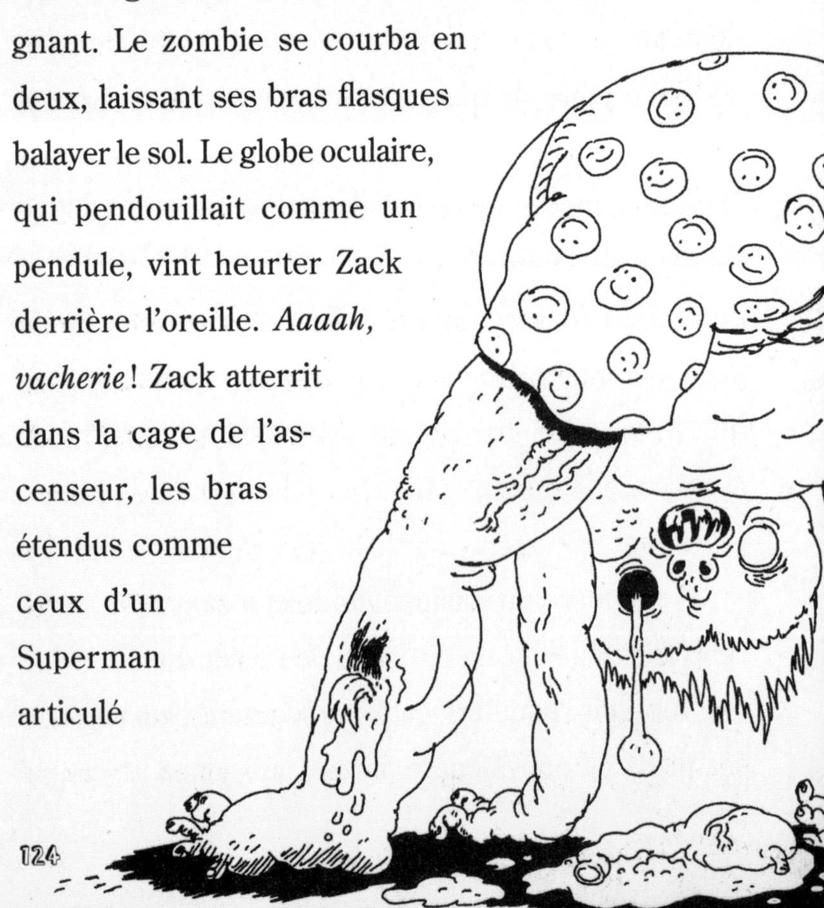

en plein vol. Le sac d'essence à briquet cogna contre la porte coulissante et l'ascenseur s'éleva.

L'avant du corps complètement maculé de souillure de zombie, Zack se précipita dans le bureau et largua le sac-poubelle noir à côté des paquets de charbon de bois, dont il déchira le haut pour y faire gicler la première bouteille d'essence à briquet, imbibant ainsi les briquettes de charbon.

Soudain, Zack se rendit compte qu'il était seul dans la pièce. Il tourna deux fois sur lui-même avant de remarquer deux crânes qui surgissaient par moments à l'extérieur de la fenêtre ouverte derrière le bureau.

Perchés sur l'auvent au-dessus de la foule des zombies, Rice et Madison rampaient sur leurs mains et genoux. Rice avait découpé deux trous dans la toile avec une paire de ciseaux récupérée sur le bureau du directeur, et ils étaient tous deux armés d'un pistolet à eau sorti du sac à dos de Rice. Dirigeant leurs armes en plastique à travers les trous, ils aspergeaient les abominables querelleurs en dessous d'eux.

— Rice, qu'est-ce que vous faites ? cria Zack par la fenêtre.

— Observe et apprends, Zack ! s'exclama Rice en arrosant un zombie d'un long jet de liquide. Nous avons dissous le ginkgo dans l'eau des pistolets, et maintenant…

— Mais ça ne marche pas du tout, Rice !

Le hurlement de Madison couvrit les grognements sauvages venant d'en bas.

— Ne cesse pas d'arroser ! ordonna-t-il, tel un petit général.

— Seriez-vous assez aimables pour cesser cet arrosage à la noix et venir m'aider ? J'ai une vraie bonne idée, là.

— Pas maintenant, Zack !

— Très bien, je me débrouillerai seul.

Zack vida une autre bouteille d'essence sur les sacs de charbon de bois ouverts, et en tira un jusqu'à la fenêtre. Rice et Madison revinrent dans le bureau en rampant.

— Je t'avais bien dit que cela ne servirait à rien, dit Madison. Ça les a juste agacés.

— Ça aurait marché si tu les avais arrosés directement dans la bouche, dit Rice. Elle ne sait absolument pas viser, Zack.

— Et qui a sorti cette stupide théorie de ginkgo, d'abord ?

— Moi, répondit Rice fièrement.

Je le savais bien, pensa Zack, qui secouait la tête en transportant le charbon de bois.

— Bon, d'accord… Et pouvons-nous savoir comment tu es devenu expert en science zombie ? demanda Madison.

— J'ai eu une intuition, expliqua Rice. Vous connaissez la sensation, quand l'instinct du génie frappe tout à coup, et qu'en un éclair, hop, vous savez !

Madison fronça les sourcils et cligna des yeux trois fois de suite.

— Quelqu'un a-t-il une meilleure idée ?

Clignement d'yeux. Clignement d'yeux. Clignement d'yeux.

— Moi ! s'écria Zack en lâchant son paquet. Vous apportez le reste du charbon et me passez les sacs à travers la fenêtre.

— Pour quoi faire? demanda Rice.

— Faites-le, c'est tout! ordonna Zack en se glissant sur l'auvent.

Docilement, Rice et Madison apportèrent les deux sacs restants à Zack.

Il fit prudemment le tour de la marquise en vidant le charbon de bois humide par-dessus le rebord, de façon à créer un périmètre autour de la meute en furie, qui se trouvait juste sous l'auvent. Zack aperçut la Volvo sagement garée au-delà de la zone de danger.

— Maintenant, apportez-moi les allumettes. Mais avancez tout doucement, je ne sais pas jusqu'à quand cette toile toute trouée va résister.

Madison grimpa la première. Rice suivit, sa trousse de survie, remplie de ginkgo, attachée sur le dos. Madison tendit à Zack la boîte d'allumettes.

Il gratta une allumette et la jeta calmement sur le côté. La petite flamme disparut, puis la tête de

l'allumette pétarada à l'intérieur de la ligne de charbon de bois. La main d'un zombie fit un trou dans l'auvent par en dessous. Ses doigts gluants attrapèrent la cheville de Madison.

— Nous allons tous mourir ! s'écria-t-elle.

C'est à ce moment qu'un foudroyant embrasement se produisit, entourant les zombies gémissants en les barricadant sous l'auvent. De grandes flammes, qui montaient de la haie incendiée, léchaient la marquise en toile.

Du dessus, les trois adolescents observaient la scène fumante.

— Un… compta Rice.

— Deux… continua Madison.

L'auvent commençait à se déchirer sous leurs pieds. La doublure de la toile bleue crépitait, formant des trous bruns tout brûlés et dévoilant encore plus de monstres hurlants en dessous.

— Trois ! cria Zack.

Et ils sautèrent aussi loin de l'auvent enflammé que leurs jambes pouvaient les propulser ; c'est-à-dire pas bien loin.

Touchant le sol, ils se précipitèrent vers le parc de stationnement.

Deux goules en feu titubaient hors du périmètre en flammes en direction du passage piéton. Rice trébucha sur un ralentisseur jaune en ciment et s'affala de tout son long. Il frétillait désespérément sous le poids de son sac à dos, tel un poisson hors de l'eau lâché sur le sable.

— Au secours ! cria Rice.

Madison s'arrêta en dérapant.

Des zombies brûlés se dirigeaient en vacillant vers la silhouette de Rice qui se tortillait. Leur peau, qui fondait, coulait sur l'asphalte comme de la cire brûlante.

Madison se mit à courir.

Elle redressa Rice sur ses jambes, en tirant sur les bretelles de son sac, juste à temps pour qu'ils puissent tous deux s'enfuir en courant.

— Tu m'as sauvé la vie, Madison, souffla Rice.

— Je sais, il faudrait que je me fasse psychanalyser.

Une fois en sécurité à l'intérieur de la voiture, Madison sortit du parc de stationnement à toute vitesse, dans un crissement dément de pneus. Zack, la tête penchée par la portière, soupirait. Il aspirait l'air de la nuit, qui sentait encore le parfum musqué de la viande avariée.

— Zack, remonte ta vitre, mec, dit Rice en toussant. Nous ferions mieux de ne pas respirer cet air vicié.

— Nous avons passé la soirée entière à inspirer cet air-là et rien ne nous est arrivé, Rice ! répliqua Zack en se rejetant en arrière sur son siège. Ne sois pas si parano !

— S'il te plaît, Zack, remonte la vitre. Cette odeur est épouvantable, dit Madison calmement, concentrée sur sa conduite.

Zack appuya sur la commande de la vitre, qui remonta, et Madison le remercia de la tête. Rice roula des yeux et Zack alluma la radio.

Un bip strident à vous percer les tympans fusa. Zack mit ses mains sur ses deux oreilles. La sonnerie cessa et une voix électronique préenregistrée sortit des haut-parleurs, mi-humaine mi-robotique :

— Ceci n'est pas un exercice. Je répète, ceci n'est pas un exercice. Le Système d'alerte d'urgence a été activé par le président afin d'aviser les citoyens des États-Unis du déclenchement d'une grave crise nationale. Tous les survivants de la région de Phœnix doivent se rendre directement à la base militaire aérienne de Tucson.

— Tucson… Tucson, Tucson ? bégaya Zack.

— C'est à une bonne heure de route, les gars, se lamenta Madison. Et je n'ai jamais conduit sur l'autoroute jusqu'ici.

— Pas le choix, indiqua Zack.

La voix radiophonique reprit :

— Il est conseillé à tous les automobilistes de rester dans leurs véhicules tant qu'un avant-poste militaire ne leur a pas été attribué. La cause de l'infection n'a toujours pas été identifiée… *Biiiiiiiip*…

— Zut, zut, zut, dit Madison en ralentissant à un stop.

Juste devant eux, le pâté de maisons grouillait de centaines de zombies. Ils dérivaient comme des somnambules hagards et comateux.

— Dégueu… frissonna Madison.

— Dégueu ! dit Rice en souriant.

Un adolescent zombie, qui portait une chemise polo et une casquette de serveur BurgerDog, se tourna pour leur faire face. Son genou gauche se dérobait vers

l'arrière et, pris d'un irrépressible boitement, il chancelait sur le côté. Sa tête penchait à droite, là où manquait un énorme morceau de cou. Le casque de réception des commandes, équipé de son micro, était toujours accroché à sa tête. Non, Zack ne voulait assurément pas de frites.

Madison prit un large virage à gauche pour s'éloigner de la rue chargée de zombies.

— Ce type de la camionnette télé n'est-il pas mort en mangeant un hamburger, avant d'attaquer le caméraman ? demanda-t-elle.

— Parce que tu crois que le hamburger a quelque chose à voir dans tout ça ? questionna Zack.

— Je trouve juste ça étrange, c’est tout, répondit Madison. Le type mord dans un hamburger et juste après, le voilà zombie.

— Impossible. Les hamburgers n’ont jamais transformé les gens en zombies, Madison, répliqua Rice en la défiant. En plus, il faut d’abord avoir été mordu par un zombie pour en devenir un…

— Attends, Madison, explosa Zack en réalisant soudain qu’ils étaient en train de retourner vers leur quartier, où allons-nous ? Il faut prendre l'autoroute.

— Nous le ferons, répliqua-t-elle. Mais pas avant d'avoir retrouvé Twinkles. Il doit être mort de trouille, et d'ailleurs, j'ai oublié mon sac.

— Mais c'est le quartier général des zombies là-bas ! beugla Rice à l'arrière de l'auto.

— Je m'en tape, je n'abandonnerai pas mon chien, espèce de rat ! cria Madison.

— Tu as entendu ce qu'ils disent à la radio, protesta Rice. Je suis persuadé qu'ils ont recommandé que personne ne sorte des véhicules pour partir à la recherche de bâtards perdus.

— Twinkles n'est pas un bâtard. C'est un étonnant croisé, répliqua Madison.

— Tu as bien baptisé ton chien Twinkles[1]? demanda Rice.

— Pardon, ton nom, c'est bien *Rice*[2]?

— En réalité, c'est Johnston. *Nom de famille*, Rice. Et je me fiche pas mal de savoir si ton chien est un

---

1 N.d.T. : Signifie « pétillements » en français.

2 N.d.T. : Signifie « riz » en français.

bâtard auquel tu as donné un nom ridicule, rétorqua Rice. Tout ce qui compte, c'est que nous sortions de cette ville, non que nous y retournions ! Zack, pourrais-tu me soutenir un peu, s'il te plaît ?

— Euh, à vrai dire… hésita Zack. Rice, si Madison retourne chercher Twinkles, nous pourrions peut-être aussi retrouver Zoé et, tu sais… l'aider.

— Mais ça va pas la tête ? Ta sœur est fichue, mec. Il n'existe aucun remède pour les zombies.

Rice essayait désespérément de faire valoir son point de vue.

— Ha oui ? Et s'il en existait un ? rétorqua Madison.

— Rice, mes parents me flingueraient s'ils apprenaient que j'ai abandonné ma frangine, argumenta Zack.

— Nos parents sont peut-être même des zombies à l'heure qu'il est. Nous sommes sans doute déjà orphelins, si tu veux que je te dise…

Un silence pesant suivit l'hypothèse terrifiante de Rice.

— Lorsque toute cette affaire sera terminée, nous serons peut-être les derniers survivants sur Terre, pensa Madison tout haut.

— Juste nous trois... ajouta Zack.

— À nous la responsabilité de repeupler la planète ! s'exclama Rice, le sourire en coin.

— Ne va pas te faire des idées, débile pervers, répliqua Madison.

Et c'est ainsi qu'ils continuèrent leur route : deux contre un. Trois contre le monde.

La Volvo tourna à droite sur Locust Lane, et ils roulèrent lentement en direction de la maison de Zack. Le bitume recouvert de traînées cramoisies brillait à la lueur des lampadaires. Les pelouses vertes étaient inondées de traces de liquide rouge cerise, les clôtures en bois blanc éclaboussées de sang. Le contenu des poubelles renversées était répandu sur les trottoirs et les avenues.

— Où sont-ils tous allés ? demanda Zack.

— Probablement partis nous chercher, répondit Madison.

— Rice, il y a un truc que je ne comprends pas dans ce que tu nous as dit, lança Zack. La seule façon d'être transformé en zombie serait d'être mordu. Mais qui a donc mordu le premier zombie, alors ?

— La poule et l'œuf, indiqua Rice en levant les bras au ciel. Il y a des tonnes de théories, mes amis : fusion malencontreuse en labo cryogénique ; déchets toxiques biochimiques ; radiation nucléaire ; radiation extraterrestre ; les extraterrestres prenant le contrôle de nos cerveaux... En tout cas, voilà de quoi nous devrions *vraiment* nous méfier à partir de maintenant.

— Il ne croit pas réellement aux extraterrestres, n'est-ce pas ? demanda Madison en descendant tranquillement la rue.

Zack acquiesça en silence.

— Madison, si je t'avais dit hier que nous aurions droit aujourd'hui à une invasion de zombies, qu'aurais-tu fait ?

— Je me serais bien fichue de toi ! dit Madison en ralentissant devant la maison toute démolie de Zack. Et même sans cela, je t'aurais de toute façon sans doute traité de tocard.

— Bien, mais s'il y a des zombies, cela veut dire qu'il peut aussi y avoir des vampires et des loups-garous. Que Sasquatch pourrait exister, tout comme l'homme-cochon, l'homme-papillon, le monstre du Loch Ness, les yetis et El Chupacabra…

— Arrête de délirer ! Nous sommes censés nous mettre à la recherche de Twinkles à l'heure qu'il est, aboya Madison.

— Et aussi de Zoé, ajouta Zack en évaluant du regard l'état de dévastation du gazon de sa maison.

— Ouais, se moqua Rice. Je parie même que nous aurons du mal à la louper !

Tandis que Zack constatait les dégâts à travers le pare-brise, ils roulèrent jusqu'à la porte du garage.

— La vache, Zack ! Ils ont complètement détruit ta maison ! s'exclama Rice.

Rice avait raison. La maison de Zack était anéantie. La pelouse entièrement piétinée était trouée de flaques de boue ensanglantées, et le jardin n'était plus qu'un désastre. La porte pendait, sortie de ses gonds, et l'entrée était ravagée. Toutes les vitres, sans exception, avaient été brisées.

— Pourquoi des extraterrestres chercheraient-ils à diriger nos cerveaux, pour commencer ? demanda Madison en détachant sa ceinture de sécurité.

— Pour la même raison que les zombies veulent les dévorer, répondit Rice en gesticulant pour se sortir du siège arrière.

— C'est-à-dire ? demanda Madison d'un ton hautain alors qu'elle ouvrait la marche vers l'entrée de la maison.

— Pour s'emparer de notre savoir, répondit Rice, raison pour laquelle ils ne se sont vraisemblablement pas intéressés à ton cerveau.

— Dis donc, vieux, c'est rempli de zombies par ici, qui ne demandent qu'à me manger la cervelle, lança Madison, sur la défensive.

— Regardez un peu, indiqua Zack en interrompant leur querelle et en ramassant un papier accroché dans les buissons près du perron. Encore un de ces emballages.

— BurgerDog, railla Madison. Ça semble tellement dégueu.

— Le chien chaud qui ressemble à un hamburger, dit Rice en déformant le slogan.

— Peut-être est-ce cela que mangeait le gars de la camionnette du journal télévisé, émit Zack.

— Tiens donc! railla Madison.

— Ça peut être tout ce que nous voulons, les amis, dit Rice, sans tenir compte de la théorie de Madison. Wendy's, McDonald's, Burger King, n'importe lequel…

— Mais Rice, et si, justement, ça n'était pas n'importe lequel? Et si c'était justement celui-là? Si Madison avait raison? demanda Zack.

Rice leva les bras en signe d'impuissance.

— Ça suffit maintenant ! intima Madison. Je vais à l'intérieur…

Elle pénétra prudemment dans la maison en passant sous l'arcade esquintée, faite de bois défoncé et du verre brisé qui pavait désormais l'entrée.

— Twinkles ?

Elle faillit perdre l'équilibre en glissant sur l'épaisse couche de bave de zombie qui recouvrait le plancher. Rice et Zack la suivaient de près. Passé le seuil, ils louvoyèrent entre les résidus de crasse glissante.

Soudain, ils entendirent un faible aboiement en provenance du salon.

— Twinkles ! s'écria Madison, tout excitée, en courant dans la direction du bruit.

Elle franchit la porte à toute allure et laissa échapper un cri perçant.

— NON !

Zack et Rice se précipitèrent derrière elle. Rice posa le pied sur un endroit si glissant qu'il fit un vol plané et fut projeté contre le mur.

Zombie Zoé tourna brusquement son affreuse tête vers Zack et Madison, en grognant sauvagement. Agrippant le malheureux cabot dans sa main droite, Zoé se battait la poitrine de l'autre poing fermé, tel King Kong en haut de l'Empire State Building.

— Zoé, glapit Madison en s'adressant à sa meilleure amie monstrueuse, peu importe que tu sois déjà morte, ou que tu ne puisses plus me comprendre… mais si tu ne lâches pas immédiatement mon chien, je vais te tuer !

— Tout ça n'est pas très végétalien de ta part, Madison, dit Rice en se relevant de la flaque infecte où il gisait, le dos fortement strié de marques sanguinolentes.

Zack courut autour du canapé pour s'emparer d'un vase posé sur la cheminée. Fondant derrière sa sœur zombifiée, il leva le vase et le brisa sur sa tête, ce qui fit voler la porcelaine en éclats.

La tête sur la poitrine, Zoé roula vers l'avant en s'effondrant sur ses genoux. Elle chancela pendant quelques secondes avant de s'aplatir, face contre terre, complètement inconsciente.

Twinkles traversa la pièce en éclaboussant tout autour de ses petites pattes. Il gambadait vers Madison, qui le souleva haut dans les airs et le fit joyeusement tournoyer autour d'elle.

Zack, debout au-dessus de sa sœur mutante, vit que ses dents avaient même pénétré le parquet humide. Madison fit quelques pas vers Zack en caressant Twinkles.

— Zack, quel courage ! s'exclama-t-elle avec gratitude. Jamais je n'oublierai comment tu as sauvé la vie de Twinkles. Jamais !

Poussant ses cheveux d'un côté, elle se pencha sur Zack et déposa un baiser sur sa joue.

— Et Twinkles non plus, pas vrai Twinkles ?

Zack rougit en essuyant la trace de rouge à lèvres brillant que Madison venait de déposer sur son visage.

— Ça n'était rien du tout, articula-t-il maladroitement.

Il eut soudainement une envie folle de voir surgir plein de petits chiens en quête d'un secours immédiat.

— Bon, les enfants, indiqua Rice. Maintenant que nous avons récupéré son chiot et reçu son petit bisou, il serait temps de nous remettre en selle et de filer.

— Rice, je ne peux pas juste m'en aller et laisser Zoé dévorer tranquillement des gens pour les recracher ensuite.

— Mais elle fait exactement ce qu'elle aime, répliqua Rice. Tu ne veux tout de même pas lui ôter ça ?

— Désolé, Rice. Je sais que c'est une zombie, mais c'est aussi ma sœur.

— Bien, mais si nous devons l'emmener avec nous, nous le ferons à ma façon.

Rice disparut et revint rapidement avec un casque de crosse, une laisse et un collier de chien qui avaient autrefois appartenu au chien favori de Zack, un petit boxer nommé M. BowWow.

— Qu'est-ce que tu fabriques avec ça? demanda Zack. C'est à mon BowWow.

— Écoute, si tu tiens absolument à emmener ta sœur zombie avec nous en balade, il nous faut prendre quelques précautions. Le casque nous protégera de ses morsures quand elle se réveillera... Aide-moi, tu veux? dit Rice en se penchant sur le corps inerte de Zoé. Maintenant, lève-lui la tête pour que je puisse lui passer le casque.

Zack souleva le poids mort du crâne de sa sœur pendant que Rice faisait entrer les cheveux tout collants de Zoé sous le casque.

— Voilà, dit Rice, qui la lâcha avec un bruit sourd pour lui passer le collier de chien et la laisse autour du cou. Nous te tenons!

Dehors, Madison avait récupéré son sac dans le garage et aspirait bruyamment sa boisson rose.

Zack tira Zoé par la laisse devant la maison.

— Tu es sûr que nous pouvons la trimbaler comme ça? demanda Zack, qui traînait Zoé sur les débris ayant auparavant constitué une porte d'entrée. J'ai l'impression de l'étrangler.

— Impossible, Zack. Les zombies sont morts, ce qui signifie que leur système respiratoire, comme tous leurs autres organes, a totalement cessé de fonctionner. Excepté le cerveau, bien sûr, devenu, par la force des choses, leur propre machine à impulsion les portant à manger de la chair humaine.

— Rice, lève-lui les pieds, intima Zack, qui tirait à présent sa sœur sur l'herbe. Je ne tiens pas à ce que sa tête fiche le camp.

— Si tu y tiens, répondit Rice en attrapant Zoé par les chevilles. Je me demande si je ne ferais pas mieux d'aller chercher deux ou trois trucs utiles.

Ils portèrent Zoé dans le coffre de la Volvo, la déposèrent derrière le filet pour chiens et claquèrent la porte arrière. Twinkles, que Madison berçait d'avant en arrière comme un bébé ressuscité, aplatit ses oreilles en arrière en grognant en direction du hideux visage de Zoé.

Au fond du garage, Rice et Zack avaient empoigné chacun un t-shirt dans la pile de linge sale, et se changeaient.

— Ne regarde pas, Madison ! cria Rice.

— *Bien sûr*, Rice ! Je vais *essayer* de ne pas regarder, s'exclama Madison, qui leur tournait déjà le dos.

En plus d'une chemise fraîchement sortie du linge sale, Rice avait choisi un petit arsenal d'armes contondantes : une pelle, une pince-monseigneur en fer, une masse et une batte de base-ball en aluminium.

— Allez, Zack, aide-moi à transporter tout ça.

Rice prit la pince-monseigneur et la batte.

Tingue-ding-ding-diiiiiing-tingue-ding-ding-diiiiing ! Une sonnerie retentit, en provenance de son sac à dos.

— Attends.

Rice se détourna de Zack en disant :

— J'ai un coup de fil. Vas-y, monte dans l'auto.

— Quoi ? Tu avais un téléphone depuis tout ce temps, et tu n'en as rien dit ? hurla Madison.

— Qui allais-tu appeler ? S.O.S. zombies ?

Zack ouvrit la fermeture à glissière du sac à dos et en retira un sac de plastique refermable contenant les doigts de zombies.

— Mais qu'est-ce que tu fiches avec tout ça?

— Spécimens, mec.

— Et comment allumes-tu ce machin-là? demanda Zack en tendant le téléphone mobile à Rice.

— Comme ça, expliqua Rice en faisant glisser un doigt sur l'écran tactile.

Zack entendit la voix de la mère de Rice à l'autre bout du fil :

— Rice, mon chéri?

Rice porta le téléphone à son oreille.

— Salut, maman... Je pensais que papa et toi étiez devenus zombies... Où êtes-vous? Toujours à la soirée de parents d'élèves? Enfermés dans le gymnase? Oh putain... Pardon, maman, je sais que tu n'aimes pas que je parle comme ça. Humm, oui, nous, ça va... Je vais très bien, maman... Oui, maman... Je t'aime aussi.

Rice tendit le téléphone à Zack.

— Ta mère aussi veut te parler.

— Maman ? dit Zack. Je t'aime aussi. Oui, je sais, maman… Zoé ? Elle est occupée… Ouais, elle est dans la voiture… Maman, nous devons y aller… Tucson… La Volvo… Calme-toi, maman, c'est Madison qui conduit… Ne crie pas… Ça va aller, maman, il faut que nous filions maintenant… Je t'aime aussi… Hé, dis donc, attends… Ne touche pas à ces saloperies de BurgerDog… Pardon, je veux dire… Ne mange pas de ces saletés !

Zack mit fin à l'appel et rendit le téléphone à Rice.

Ils portèrent leur collection d'armes dans la voiture, les jetant à l'arrière avec zombie Zoé. Après avoir chargé la Volvo, ils attachèrent leurs ceintures et démarrèrent dans un crissement de pneus. Madison arrêta l'auto à un carrefour et demanda à Zack :

— Comment rejoint-on l'autoroute d'ici ?

— Je n'en sais rien, c'est toujours ma mère qui conduit, répondit Zack innocemment.

— C'est que… Je ne connais pas trop votre quartier, moi, dit Madison en tapotant le volant avec ses index.

— Pas la peine de me regarder, je ne sors pas tant que ça, moi, répliqua Rice.

Madison regarda à travers le pare-brise.

— Seigneur ! s'exclama-t-elle.

Perchée sur le toit d'une maison en brique rouge, une silhouette était recroquevillée, roulée en boule, et geignait, la tête dans les coudes. Le garçon leva la tête. Zack reconnut son visage anguleux et ses yeux méchants. Rice eut un mouvement d'effroi.

Greg Bansal-Jones.

CHAPITRE

Greg Bansal-Jones pouvait tout à fait être considéré comme un super sportif de secondaire deux et la terreur de la classe. Il avait l'air d'avoir au moins 2 ans de plus que son âge, qui était de 13 ans et trois quarts, et utilisait à coup sûr une bombe entière de mousse à raser par semaine. Très large d'épaules, Greg mesurait près de 1 m 80 et était doté d'un torse plutôt musclé. Capitaine des équipes de soccer, de hockey et de crosse, il n'aurait pas de mal à rosser Zack. Et Rice par la même occasion. Qui mieux est, il n'aurait aucun mal à les rosser en même temps.

— Bensal-Jones ? gémit Rice, le souffle coupé. Madison, ce type est à peine sorti de l'âge des cavernes... C'est un anthropopithèque géant.

— Bon, d'accord, c'est une tête de nœuds, mais il a l'air si mignon et désemparé comme ça, tout tremblant, presque poignant. Et puis, pour une fois, nous ne cracherons pas sur un peu de force bestiale de notre côté. Nous serons le cerveau, et lui les muscles.

Zack détestait Greg, pas seulement parce qu'il était méchant, mais aussi parce qu'il était si bon à ce petit jeu-là. Même sans l'épisode immonde des toilettes dont Rice avait été victime, Greg disposait d'une inépuisable réserve de malignité, que tout bon petit voyou lui enviait. Faire un croche-pied au gamin solitaire de cinquième année portant son plateau-repas. Enfermer une élève obèse de secondaire un dans un casier de vestiaire. Rire et taper des pieds à proximité d'un suppléant qui cherche sa lentille de contact par terre. Chevaucher un gringalet de sixième année en lui pinçant le nez et en lui versant dans la bouche de la sauce au piment extrafort. La liste était sans fin.

— Je me fiche de savoir ce que vous en pensez, leur dit Madison.

Zack leva les yeux au ciel en soupirant. Rice se recroquevilla au fond du siège, ouvrit la vitre arrière et murmura à Zack :

— Ne t'en fais pas, vieux. Je vais la jouer médiéval avec ce môme-là…

Sur ces mots, il sortit sa tête couverte de marques roses par la portière.

— Oyé, jeune écuyer ! Par tous les saints, j'aurais préféré que nous fussions étrangers l'un pour l'autre, mais la gente demoiselle ici présente sollicite le plaisir de votre compagnie, héla-t-il Greg avec son meilleur accent britannique. Descendez donc de votre perchoir et rejoignez-nous ici.

La tête de Greg se releva, couverte d'un flot de morve dégoulinante.

— Ma mère a essayé de me dévorer ! dit-il en ravalant ses larmes.

— Trêve de pleurnicheries ! recommanda Rice. Collez à nos basques fulmine une horde de bêtes sauvages à l'affût. Point de temps pour se faire dorloter, manant ! Descendez à présent !

— Qu'est-ce qui lui prend de parler comme ça ? demanda Madison à Zack.

— Mme Rice l'emmène souvent au festival Renaissance pendant l'été. C'est assez bizarre comme truc. Ils sont tous costumés et s'expriment comme au Moyen Âge.

— Déjà que Greg comprend à peine l'anglais normal ! ajouta Madison.

— Justement, c'est ça l'intérêt, répondit Zack.

— Ne tardez point, mon garçon, continua Rice, l'interpellant comme un bouffon du roi.

Passablement confus, Greg s'exécuta et glissa agilement le long de la gouttière de la maison. Il atterrit sur l'herbe et trotta jusqu'à la Volvo, un sac de gym rouge sur l'épaule. Il était toujours accoutré de sa tenue de soccer : short, protège-tibias, crampons et maillot avec le numéro 13 chanceux.

— Je suis si heureux de te voir, Mad, dit Greg en atteignant l'auto. C'est qui, ces deux nuls ?

— Voici Zack, le petit frère de Zoé, et Rice, son meilleur ami, présenta Madison en désignant ses compagnons d'infortune.

— Tu m'as plongé la tête dans les toilettes il y a à peu près un mois, lui rappela Rice.

— Ha ouais, je te replace, dit Greg en gloussant. Mais tu as changé… enfin, je veux dire, ton visage, il est tout dégueulasse. Tu es bien sûr qu'il n'est pas en train de se transformer en une de ces choses, lui aussi ?

— Non, c'est juste la varicelle, dit Madison. Mais Zoé est dans le coffre et elle, en revanche, est une vraie zombie. Nous avons décidé de la sauver.

— Vous avez Zoé dans le coffre ? dit Greg, incrédule, en se dirigeant vers l'arrière de la voiture.

Il mit les mains autour de ses yeux pour mieux voir à travers la vitre, et examina l'intérieur. Zoé ragea et poussa un hurlement hideux en apercevant Greg à travers la buée sur la vitre. Elle heurta son casque de crosse contre la vitre, ce qui le déstabilisa. Trébuchant contre le trottoir, Greg tomba en arrière dans l'herbe.

— Mince alors ! Mais elle est sérieusement déglinguée ! s'écria-t-il en se redressant.

Madison se tourna vers Zack.

— Monte à l'arrière.

— Même pas en rêve ! C'est *ma* voiture.

— Hé, ton nom n'est pas écrit dessus, vieux, répliqua Greg en ouvrant la porte du passager. À moins que tu ne t'appelles Volvo…

Silence.

— C'est Volvo ton nom, mec ?

Zack le dévisageait en restant assis sans broncher.

— Allez, ne fais pas l'idiot, Zack, implora Madison, va t'asseoir à l'arrière avec Rice.

Zack finit par quitter son siège et sortir à contrecœur de la Volvo, en balançant la portière dans la gueule railleuse de Greg.

— Hé, fais gaffe, minus ! réagit Greg.

Parfaitement remis de son pathétique spectacle de pleurnichard sur le toit, Greg prit place à côté de Madison, en lui lançant un clin d'œil et un sourire complices. Twinkles sauta sur la banquette arrière entre Zack et Rice. Le petit chien s'affala sur le siège en soupirant.

— Greg, as-tu vu dans quelle direction les zombies sont partis ? demanda Rice, aussi fébrile qu'un entraîneur encourageant son chien avant la course.

Greg fit un geste du doigt vers l'avant en laissant échapper un grognement néolithique. Puis, il ouvrit son sac de gym et en sortit une poche graisseuse enveloppant un BurgerDog. L'odeur de la malbouffe emplit aussitôt la voiture. Madison mit deux doigts sur la bouche en gonflant les joues, comme si elle allait vomir.

Ils suivirent la file de droite jusqu'à la bretelle d'autoroute.

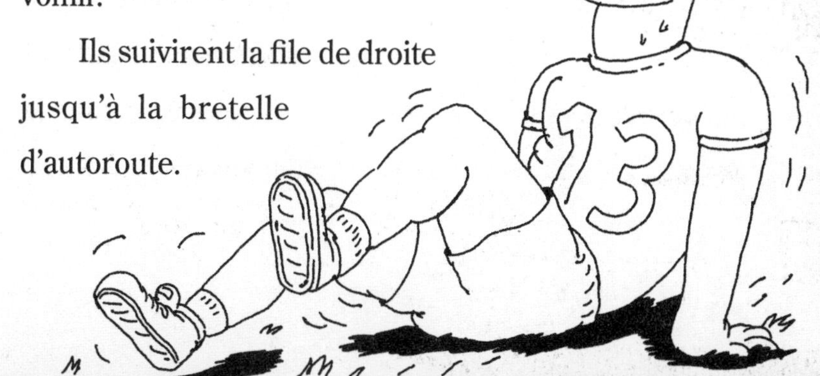

Greg ouvrit l'emballage du BurgerDog en le posant soigneusement sur ses genoux.

— Greg, si tu avales la moindre bouchée de ce truc… lâcha Madison avec horreur.

— Non, dit Rice en tapotant des doigts tel un super méchant aux anges. Laisse-le manger…

Bon Dieu, pensa Zack, *comme j'aimerais voir Bensal-Jones mordre dans son sandwich ! Mais qu'arrivera-t-il ensuite, quand le bouffeur de viande se transformera en zombie ? Il voudra nous dévorer. Ça fera tout de même sacrément du bien de l'assommer à grands coups de pelle.*

Greg ouvrit le BurgerDog en deux en disant :

— Ça, c'est de la viande !

Mais ça n'était pas de la bonne viande. Non, certainement pas. Zack et Rice suffoquèrent en découvrant le répugnant bœuf haché de la boulette du hot-dog, tout recouvert de sauce crémeuse vert lime, avec salade fanée et oignons violets caoutchouteux en prime. Sous les extras visqueux, ils virent avec horreur la viande bouger, grouiller, comme si elle était vivante.

— Vous voyez ?

Greg remit le petit pain en place et ouvrit la bouche, prêt à mordre.

— Arrête !

Madison attrapa le burger zombie en criant :

— Ne mange pas ça !

— Mais pourquoi ? demanda Greg.

— Vrai, Madison, pourquoi ? renchérit Rice, manifestant sa déception.

— Vous êtes cinglés ou quoi ? La dernière chose dont nous avons besoin, c'est d'un autre zombie sur le dos. Regardez-moi ça ! glapit-elle en brandissant le sandwich. Il avance tout seul !

Madison descendit sa vitre pour le balancer dehors.

— Stop ! hurla Rice.

Il saisit le poignet de Madison par-derrière et lui fit lâcher le sandwich frétillant.

— Nous en aurons peut-être besoin comme spécimen. Au cas où, je le mets dans mon sac.

Tenant d'une main le BurgerDog, Rice sortit de l'autre le sachet contenant les doigts de zombies. La truffe de Twinkles s'agita. Le chiot affamé bondit du siège pour s'emparer du morceau de viande infectée, qu'il mordit. Comme Rice tapait Twinkles sur le museau, le chiot battit en retraite en se léchant les babines.

— Mec... murmura Zack en désignant Twinkles et le BurgerDog, puis Twinkles à nouveau.

— Chuuuuut! chuchota Rice à son tour. Seuls les gens peuvent être transformés en zombie. Je l'ai lu sur Internet.

Greg froissa l'emballage du hamburger et le jeta dehors.

Madison fit vrombir le moteur et fonça vers l'accès à l'autoroute, qui s'avéra parsemée de goules paumées. Sa confiance en son aptitude à diriger le volant atteignit

un nouveau sommet quand elle constata qu'elle pouvait slalomer tranquillement entre les corps en mouvement.

Après s'être engagés à toute vitesse sur la rampe d'accès, ils se retrouvèrent sur la voie suspendue, qui contournait par le sud le centre-ville de Phœnix. Laissant derrière elle Zombieville, qui devenait de plus en plus petite derrière eux, la Volvo filait sur l'interminable et désertique autoroute grise. Madison accéléra en passant à côté de quatre énormes monstres. Tel un groupe d'auto-stoppeurs forcenés cherchant à être embarqués, ils grognèrent au passage de la Volvo.

Les pneus sifflaient sur l'autoroute.

Dehors, le ciel de minuit était d'un noir métallique menaçant. Le clair de lune éclairait juste les montagnes qui bordaient l'horizon. De sinistres hurlements de coyotes sortaient de nulle part. C'était bel et bien dans le désert, et pourtant, Zack savait que derrière chaque broussaille, des centaines de zombies invisibles se dissimulaient, profitant de l'obscurité de la nuit.

Zack sentit dans son cou le souffle chaud de sa sœur. Il lui jeta un regard qui signifiait «Arrête!», mais cela ne servit à rien. *Elle ne comprend rien de toute façon*, pensa-t-il. *Elle n'a d'ailleurs jamais rien pigé, même quand elle était encore humaine.* À sa gauche, le regard de Rice était perdu dans les nuages, de l'autre côté de la fenêtre. Zack vit son gros copain gratter les croûtes qui parsemaient ses avant-bras et ensuite enfoncer distraitement le même doigt dans son nez. Twinkles, qui s'était rapidement endormi entre eux deux, haletait rapidement

Zack se laissa aller, bercé à son tour par la régularité du ronronnement du moteur. L'horloge numérique affichait 0 h 22. À l'intérieur de la Volvo, tout était tranquille. Zack sentit ses paupières s'alourdir. Privé des querelles incessantes et cédant au ronron du moteur, il finit par s'endormir. Il se réveilla en bâillant une minute plus tard. L'horloge affichait 1 h 33. *Déjà 1 h 33 du matin*?

La Volvo filait toujours à vitesse constante. Les phares brillaient dans la nuit, éclairant les marques blanches peintes sur la chaussée à intervalle régulier, et qui disparaissaient inexorablement sous le capot de la voiture. À l'avant, Greg et Madison se parlaient.

— Mais comment as-tu fini par te retrouver avec ces deux ringards ? dit Greg.

— Je passais la nuit chez Zoé. Et toi, comment t'es-tu finalement retrouvé sur ce toit ? demanda-t-elle.

— Ben, j'ai grimpé, qu'est-ce que tu crois ! répondit Greg.

— Ça, c'était après que sa mère a essayé de le bouffer, rappela Rice à qui l'aurait oublié.

— Je n'en rajouterais pas, si j'étais toi, menaça Greg.

— Tu ne me fais pas peur, Greg, répliqua Rice.

— Tu veux que je te remette la tête dans les toilettes, Monsieur-caca ? Parce que cette fois-ci, je te ferai lécher la cuvette ! avertit Greg.

Rice ravala sa salive.

— Fiche-lui la paix, Greg ! cria Zack.

— Et toi, rappelle-moi ton nom, demanda Greg, exaspéré. Je n'ai pas l'impression que nous avons été présentés.

— Le frère de Zoé, indiqua Madison en lui tapant sur la tête, ce qui fit un bruit creux.

Faisant facilement du 110 à l'heure, la Volvo grimpait maintenant une colline. Tout à coup, en haut, elles surgirent : des voitures aux feux arrière clignotants qui se rapprochaient de plus en plus. Les véhicules étaient à l'arrêt complet, mais la Volvo continuait de prendre de la vitesse comme ils dévalaient la pente abrupte.

— Madison, ralentis ! cria Zack, qui commençait à paniquer.

Les feux arrière des autos arrêtées en file indienne, pare-chocs contre pare-chocs, clignotaient.

— Hum, fit Rice. Si vous voulez mon avis, il va falloir que nous nous arrêtions tranquillement, genre, maintenant !

Madison enfonça la pédale des freins, mais la Volvo se rapprochait irrémédiablement de l'embouteillage. Les yeux écarquillés, Greg s'accrochait à la poignée située au-dessus de la porte du passager, riant jaune comme les gens en quête du grand frisson qu'on voit passer sur les montagnes russes.

— Freine, Madison ! hurla Zack

— C'est ce que je fais ! cria Madison en retour.

— Plus fort !

Elle enfonça tant la pédale que la Volvo se mit à grincer de toute part. L'arrière de la file de voitures arrêtées était maintenant si proche que Zack se dit qu'ils ne parviendraient jamais à s'arrêter à temps. Il ferma les yeux, mais tout ce qu'il put imaginer, c'était la Volvo de sa mère explosant contre un mur de voitures.

Les pneus raclèrent le revêtement en pente. Madison avait les pieds au plancher. Espérant ne pas mourir tout de suite, Rice faisait le signe de croix. Zack voyait la collision se produire en boucle derrière ses paupières closes.

Alors qu'elle piquait à toute allure et remontait la pente, la voiture s'arrêta soudain, et zombie Zoé heurta violemment la cloison, cognant les barres métalliques de son casque contre le grillage de la cage en fer. Tous furent projetés vers l'avant, les clavicules meurtries par les ceintures de sécurité qui les retenaient. Tout le monde, sauf Twinkles, à la corpulence minuscule, qui fut lancé comme une flèche contre le tableau de bord, allumant la radio.

— Mon Dieu, Twinkles!

Madison le recueillit d'une main.

La même alerte radiophonique que précédemment transperça le silence de son *bip* strident. La voix robotique se fit entendre à nouveau, mettant à jour certaines informations :

— Des points de contrôle sécurisés ont été installés entre les villes pour éviter que des zombies puissent y entrer illégalement. La police procédera aux fouilles systématiques des véhicules. Les forces de l'ordre et le personnel militaire travailleront ensemble pour contenir la pandémie zombie. Tout passager mort-vivant sera exécuté sur-le-champ. La cause de l'épidémie n'a toujours pas été identifiée.

— Tout cela signifie quoi exactement? demanda Madison.

— Ça veut dire que si nous attendons ici et qu'ils découvrent Zoé, c'est *ciao* Zoé, répondit Rice en cachant sa joie. Bon Dieu, Zack, je t'avais pourtant bien dit qu'il ne fallait pas l'emmener !

— Mais… dit Madison, complètement éberluée. Ils ne vont quand même pas les exécuter comme ça ?

À une dizaine de voitures devant eux, deux policiers moustachus de l'État d'Arizona déambulaient le long de la file interminable des automobiles à l'arrêt. Ils étaient accompagnés de deux énormes bassets de chasse au garde-à-vous, qui reniflaient tout. Les patrouilleurs braquaient leurs torches électriques à l'intérieur des voitures, posant des questions aux passagers. Ils inspectaient les banquettes arrière et faisaient ouvrir les coffres.

— Ils fouillent chacune des bagnoles ! dit Zack, désemparé.

— Mais qu'est-ce que nous pouvons faire ? interrogea Madison, inquiète.

Ils virent soudain les policiers reculer d'un bond en saisissant leurs pistolets. Une vieille femme jaillit d'un coffre. Le conducteur du véhicule courut se mettre entre sa vieille mère et la patrouille pour la protéger des tirs. La zombie se jeta sur l'automobiliste et lui mordit l'épaule.

— Hé ! s'exclama Rice

— Charmant ! dit Greg.

— Il faut que nous nous tirions rapidement d'ici, dit Zack, se demandant quel effet ça lui ferait d'être fils unique.

— Hé, gros malin, demanda Madison, prise de panique, tu vois une autre route quelque part ?

— J'ai vu une barrière par là, dit Rice en désignant l'est.

Un portail en métal s'ouvrait en effet sur une route poussiéreuse qui partait de l'autoroute pour aller se perdre en piste dans le désert.

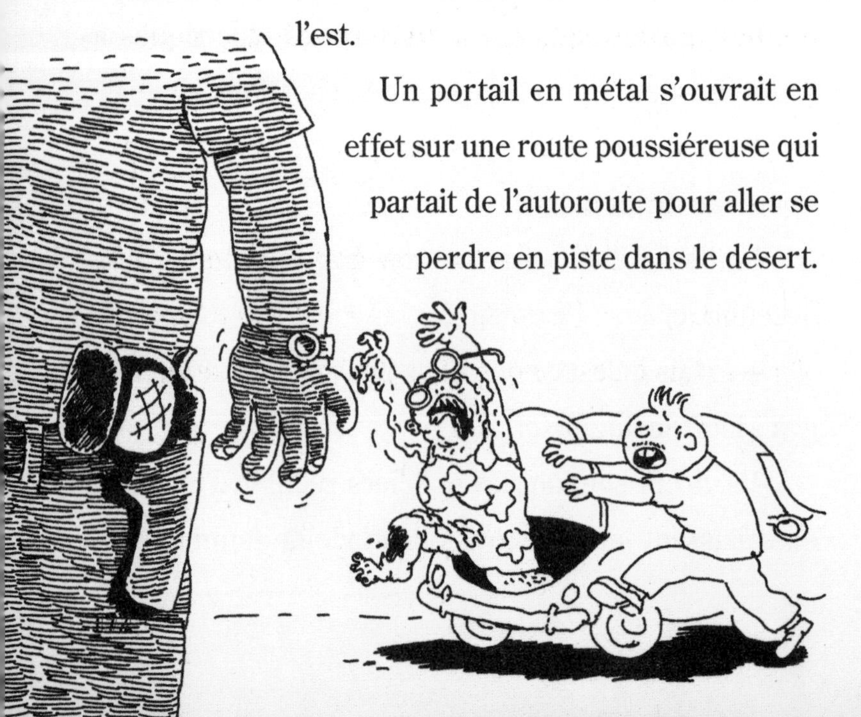

— C'est peut-être un raccourci.

— Tu veux que nous fassions du rallye en Volvo ? demanda Greg.

— T'as une meilleure idée ?

Greg ne répondit rien.

— C'est bien ce que je pensais, dit Rice, s'adressant désormais à Madison. Éteins les phares. Je me servirai de mon iPhone pour te guider sur les routes secondaires.

— En supposant qu'il y en ait, indiqua Zack, morose.

Rice ouvrit son sac et fouilla dedans. Les doigts de zombies gesticulaient à côté du BurgerDog.

— Le voilà !

Rice ouvrit le téléphone.

— En avant, toute !

Madison quitta l'autoroute pour rejoindre une route de gravier. Tous feux éteints, la Volvo fantôme pénétra sans bruit dans le vibrant silence du désert.

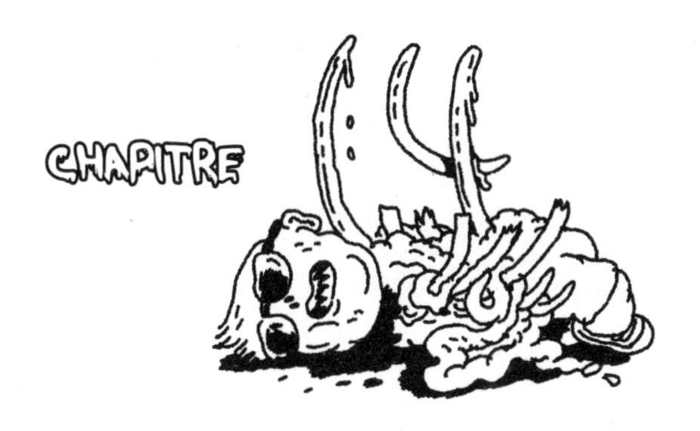

La Volvo progressait sur le chemin de terre empierré, faisant crisser ses pneus qui projetaient derrière eux un nuage de sable. Rice tapotait son téléphone portable dans l'attente d'indications exactes en provenance du poste militaire, mais l'appareil ne répondait pas. Le message apparaissait en clignotant en boucle sur l'écran : *réseau indisponible.*

— Continue tout droit pour le moment, indiqua Rice.

— Au point où nous en sommes, nous n'avons pas vraiment le choix, dit Madison, passablement anxieuse.

— Ne vous inquiétez pas, assura Rice. Nous y arriverons.

La lune apparut brièvement derrière les nuages, propageant une lueur bleue sur les champs de cactus. Plissant les yeux, Zack crut apercevoir trois silhouettes accroupies dans la pénombre et la poussière, et qui, comme trois gloutons s'empiffrant d'ailes de poulet, dévoraient leurs propres mains grumeleuses et boursouflées.

Comme la Volvo avançait, chacun put voir le trio de zombies cannibales.

— Ils se nourrissent, dit Rice.

— Change de sujet! implora Madison. Je ne veux même pas entendre parler de ça.

Zack tenait Twinkles sur ses genoux et caressait le chiot traumatisé, jusqu'à ce que ses petits yeux se ferment et qu'il s'endorme à nouveau.

— Madison, dit Zack, pris d'inquiétude. Twinkles n'a pas l'air tellement en forme.

— Qu'est-ce qu'il a ? demanda-t-elle.

— Je ne sais pas, sa respiration est plutôt étrange.

Twinkles dormait, laissant échapper des petits grondements entre ses respirations sifflantes.

— Il va bien, dit Madison. Laisse-le dormir.

Rice donna un coup sur le téléphone qu'il tenait dans le creux de sa main.

— Mais qu'est-ce qu'il a ce truc à la noix ? jura-t-il.

— Ça pue par ici, grommela Madison en s'éventant de la main. Voilà ce qui ne va pas.

L'intérieur de la Volvo était empli d'un insupportable assemblage de relents de BurgerDog s'échappant du sac de Rice, et de l'odeur nauséabonde générée par le corps pourri d'une Zoé en décomposition.

Zack avait le sentiment que la puanteur toxique était palpable. Inhalant par la bouche, il sentit l'épaisse odeur sirupeuse se dissoudre sur sa langue et devenir saveur.

Madison descendit sa vitre et inspira d'un coup un grand bol d'air frais. Zack, Rice et Greg firent de même.

— Rice, si tu ne trouves pas la solution à ce truc très, très bientôt, je fais demi-tour très, très vite.

— Et les flics pourront très, très facilement faire exploser la cervelle de Zoé, dit Rice. C'est ça que tu veux ?

— Bien sûr que non. Nous n'aurons qu'à leur expliquer qu'elle est avec nous et...

Zombie Zoé claquait du bec et grondait en cognant sans arrêt son casque contre la cloison métallique.

— Les flics vont lui exploser la cervelle, répéta Rice lentement en formant avec l'index et le pouce un pistolet fictif, qu'il pointait vers sa tempe. Bang.

— Rice ! Je refuse de continuer à conduire sans savoir où cette route va nous mener, rouspéta Madison.

— Elle n'a pas tout à fait tort, mon pote, envoya Greg.

— J'en suis sûr, *mon pote*, qu'en dis-tu ? reprit Rice,

— Et que dirais-tu si je t'en flanquais une ?

— Ouais, tout ce que tu voudras, *Greg*…

Rice gardait les yeux rivés sur son téléphone cellulaire.

— Hé, attendez ! Ça y est, il va y avoir une autre route dans un demi-kilomètre. Là, il faut tourner à droite pour arriver directement à la base militaire aérienne de Tucson !

— Enfin !

— Il était temps !

— C'est super, mec, dit Zack.

— C'était une blague, les amis, je n'ai pas la moindre idée de l'endroit où nous nous trouvons… avoua Rice, qui commençait à craquer.

Il se tut, pris d'un fou rire intérieur.

Greg se retourna sur son siège et attrapa lestement le téléphone des mains grassouillettes de Rice.

Celui-ci poussa un pitoyable cri d'impuissance.

— Hé, rends-moi ça !

— C'est à moi maintenant, affirma résolument Greg.

Mammouth-la-terreur regarda l'écran numérique du iPhone avant de le lancer d'un coup de poignet par la vitre ouverte. Adieu téléphone!

— Merci, crétin! lança Rice. Sache que tu dois maintenant 300 dollars à mes parents.

— Et alors?

Greg se frotta les yeux avec ses poings en faisant : « Bou-ou! Sniff sniff! »

Zack, de son côté, observait le chiot endormi sur ses genoux, lourd et immobile comme une pierre. Il y avait un truc qui clochait.

— Madison? dit Zack en hésitant. Twinkles ne respire plus.

— Quoi! s'écria Madison. Que veux-tu dire?

— Ton chien est mort, annonça Greg.

Le bras droit de Madison quitta le volant comme par réflexe et s'abattit sur le visage de Greg.

— Aïe!

— Pour qui te prends-tu? Tu es médecin? pleura-t-elle.

Zack soulevait dans ses mains le petit chien privé de vie. Le visage attristé de Madison s'adoucit sous le coup du chagrin. Une larme unique apparut à l'angle de son œil et coula sur sa joue. Twinkles était mort.

— Personne ne pourrait lui faire un massage cardiaque ou quelque chose comme ça ? geignit Madison

— Hé, j'ai été secouriste une fois, dans une colonie de vacances, dit Greg. Nous avons tous appris à faire le bouche-à-bouche pour le cas où un crétin oublierait de savoir nager, mais je n'embrasserai pas ce chien sur la bouche.

— Si, tu l'embrasseras, ordonna Madison. Zack, passe Twinkles à Greg, vite !

— Volontiers.

Zack passa le petit cadavre de Twinkles vers l'avant.

Rice donna un coup de coude à Zack en lui disant :

— Ça devrait être pas mal.

Utilisant le tableau de bord comme une table d'opération, Greg déposa Twinkles sur le dos et commença à presser sa petite cage thoracique du bout des doigts.

— Ça, c'est pour que le sang continue de monter jusqu'au cœur, expliqua-t-il.

— Essaie de ne pas le briser, dit Madison.

Greg souleva le museau du chiot, tira sur son menton et lui ouvrit la gueule, dévoilant ainsi de charmants petits crocs blancs.

— Maintenant, je vais lui souffler de l'air par la bouche pour lui gonfler les poumons, dit Greg.

Il inspira longuement pour expirer ensuite dans le petit museau de Twinkles, puis pressa à nouveau la minuscule poitrine du chiot en comptant jusqu'à cinq. Il recommença, et les yeux de Twinkles s'ouvrirent brusquement.

— Regardez ! cria Madison. Ça marche.

Greg exécuta encore une séance de massage cardiaque et se pencha pour un troisième bouche-à-museau.

Twinkles tressaillit subitement et, sautant du tableau de bord, planta ses petits crocs dans la lèvre inférieure de Greg. Greg hurla de douleur, tandis que le cabot réanimé accrochait ses petites dents plus profondément encore dans sa bouche.

— Aaah-ah-ah… Aaaaaah-ah-ah ! cria Greg.

Il saisit le chien zombifié par le ventre, tira très fort et parvint à l'arracher de sa lèvre dans un jaillissement rouge sang. Greg lança la petite créature démoniaque par la fenêtre ouverte. Grondant férocement, Twinkles fut catapulté sur le sol rocailleux. Le sang giclait de la bouche de Greg.

— Comment as-tu pu faire ça, Greg ? s'écria Madison.

Elle arrêta la voiture pour gifler Greg à nouveau, puis sortit en courant voir où Twinkles était tombé.

— Aaaaïe, gémit Greg. Arrête !

Sur le bas-côté de la route, Madison était penchée, visage dans les

mains, sur le corps sans vie du petit chien. Zack et Rice laissèrent Greg dans la Volvo, grimaçant dans le miroir du pare-soleil tout en bloquant l'écoulement de son sang avec une serviette en papier BurgerDog.

Twinkles gisait, immobile, sur une roche plate. Les garçons se tenaient derrière Madison, qui pleurait son petit chien. La méchante grimace zombie avait disparu de son visage et il semblait juste dormir en paix.

— Nous ne pouvons quand même pas laisser la pauvre bête comme ça, en plein désert, gémit Madison, les yeux remplis de larmes.

— Absolument, Madison, acquiesça Rice. Twinkles fera un excellent spécimen.

Il se pencha pour saisir le chien zombifié, mais Madison lui ficha une claque sur la main.

— Bas les pattes, binoclard ! s'écria Madison.

— Mais, Madison, il faut bien que nous…

— Rice, la ferme, d'accord ? plaida Zack.

Il s'agenouilla à côté de Madison, qui soulevait le pauvre Twinkles pour le retirer du rocher froid. Elle déposa ensuite délicatement le petit corps dans son sac à main.

De retour dans l'auto, l'ambiance était lugubre. Madison reprit la conduite jusqu'à ce que Rice brise le silence.

— Est-ce que cela signifie que Greg va devenir zombie à son tour? demanda-t-il.

Zack ne répondit pas. Il croisait les doigts pour que le virus zombie s'évacue par le sang de Greg.

— J'espère bien que non, rétorqua Greg. Ça ne serait vraiment pas cool.

— Vous voulez que je vous dise ce qui n'est vraiment pas cool? demanda Madison, qui pompait sur la pédale d'accélération.

Le moteur vrombit puis pétarada. Une fumée s'échappa du capot de la Volvo et une odeur d'essence brûlée se répandit dans l'habitacle par le système de ventilation. L'aiguille de la jauge pointait sur *Vide*.

— C'est que nous n'avons plus d'essence! beugla-t-elle en frappant le volant de rage.

Tuuuuuuuuuuuuuuut! Le son du klaxon se répandit dans tout le désert. Un gémissement de supplicié se fit entendre au loin.

À la suite d'un rapide débat, que Madison gagna par décret, il fut convenu que Zoé les accompagnerait à pied.

— Elle fait toujours partie de la famille, fit remarquer Madison.

— Bien sûr, de la famille Addams ! rétorqua Rice.

Greg tira si fort sur la laisse de Zoé qu'elle faillit littéralement en perdre la tête. Rice rassemblait la collection d'armes qu'il avait choisie dans le garage, et les distribua : une pelle pour Zack, une pince-monseigneur pour Madison, une masse pour Greg et la batte pour lui.

Dès qu'ils eurent commencé leur marche dans le désert, la compagnie de zombie Zoé les obligea à se déplacer à un rythme régulier. S'ils s'arrêtaient, elle étouffait sous son casque de crosse. Et s'ils avançaient trop vite, elle les retenait, comme un bulldog traîné pendant une promenade forcée.

Ils marchèrent ainsi pendant trois interminables minutes, avant que Greg n'ouvre la bouche.

— Est-ce qu'un chien zombie peut vraiment transformer un être humain en zombie ? murmura-t-il.

— C'est à espérer, dit Rice, car nous n'aurions ainsi plus à écouter tes efforts de réflexion.

— Un mot de plus et je te défonce la tête, dit Greg, en brandissant la masse sans effort.

— Tu ne pourrais pas nous avoir tous les deux avec cette masse, rétorqua Rice.

Parle pour toi, pensa Zack. Le seul concept de Greg les attaquant sans aucune arme était déjà suffisamment terrifiant.

— Je suppose que tu plaisantes, là, dit Greg. Je peux vous balayer sur le sol d'un coup tous les deux à la fois.

— Ça vous ennuierait de mettre fin à cette discussion de machos ? Mon petit chien est mort et nous ne pouvons plus rien y faire ! Et Rice, sache que Greg est capable d'en écraser 15 comme toi d'un seul coup !

— Non, si j'étais un zombie, il ne pourrait plus.

Zack se marrait tout seul rien que d'imaginer l'épique confrontation : Bansal-Jones contre Rice, le petit gnome diabolique et grassouillet. Greg se rapprocha furtivement de Madison. Ils se mirent à marcher ensemble main dans la main. En une lente déambulation mécanique, zombie Zoé fermait la marche et bavait sous son casque.

— J'ai faim, dit Rice en se tenant l'estomac. Pas vous ?

— Je n'ai rien avalé depuis la bataille de bouffe à l'école, et Madison a fichu mon gâteau en l'air !

— Passe-moi ta main, dit Rice en ouvrant un flacon de gélules de ginkgo de chez Albertsons.

Zack lui jeta un regard de travers.

— Non, sérieusement, je jure que je ne plaisantais pas, insista Rice en versant quelques gélules dans la paume de son copain, puis dans la sienne. Tu sais, je ne crois pas m'être déjà couché aussi tard, continua-t-il.

— Quelle heure est-il ? demanda Zack en bâillant.

— Environ 2 h 30 du matin, j'imagine, dit Rice en levant sa main pleine de ginkgo.

— Toi d'abord, insista Zack.

— À l'ail antizombies ! s'exclama Rice en levant un toast.

Et il avala les gélules d'un coup.

— Hé, vous deux, là, espèces de têtes de nœuds ! J'espère que vous n'avalez pas des collations en cachette ! aboya Greg.

— Ouais, c'est vrai, ça, qu'est-ce que vous êtes en train de manger ? demanda Madison.

— Du ginkgo biloba ! lança Rice. Vous en voulez un peu ?

— Le ginkgo n'a aucun effet, dit-elle. Nous l'avons déjà essayé, tu ne te souviens pas ?

— Comme tu voudras, Madison.

Tandis qu'ils continuaient à progresser, le taillis épaississait à vue d'œil de chaque côté de la route. Un chœur d'insectes du désert pépiait en frétillant. À chaque pas, le terrain devenait plus dangereux, se recouvrant de cactées, de sanguinaires et d'armoises piquantes entre les pierres plates. Plus loin devant eux, ils aperçurent un pick-up, dont les feux de détresse clignotaient encore. Il était abandonné sous un arbre de Josué, qui scintillait par à-coups dans la lueur des feux, marquant la fin de la piste dépourvue de barrières de contrôle.

Greg et Madison rattrapèrent les deux garçons. Ceux-ci venaient de s'arrêter net.

— Cimetière, pointa Zack, l'index tremblant.

Il était entouré d'une clôture en fer forgé noir. Un mausolée de pierre blanche trônait en son milieu, flanqué de rangées de pierres tombales plus petites. Une pelle était plantée sur un gros monticule de terre, à côté de trois tombes fraîchement creusées.

— Allez, les gars, allons voir ça de plus près, dit Madison avec sa détermination habituelle.

— Je ne suis pas sûr que ça soit une bonne idée, indiqua Rice.

— Très bien.

Madison jeta le bout de la laisse de Zoé sur le torse de Rice.

— Dans ce cas, à toi de faire le gardien de zombies.

Greg attrapa la batte de base-ball suspendue au dos de Rice et lui refila la masse à la place.

Madison prit le bras de Zack, l'entraînant vers le cimetière.

— Apporte ta pelle, je ne tiens pas à toucher l'autre, ajouta-t-elle.

— Pourquoi avons-nous besoin d'une pelle ? demanda-t-il.

— Nous allons enterrer Twinkles comme il faut, dit-elle en entraînant Zack.

Le chemin de terre faisait un virage à angle droit pour contourner le cimetière.

— Allez Zo, implora Rice en tirant sur la laisse en direction du pick-up, tout en portant la masse avec difficulté. Bon enterrement.

Madison tirait maintenant Zack dans l'entrée du cimetière. Pendant qu'ils progressaient à l'intérieur, Greg les suivait en sautant délibérément sur chaque tombe.

— Tu ne peux pas cesser cinq minutes de faire l'enfant ? lui lança Madison.

Greg l'ignora, sautant à cloche-pied sur une rangée de pierres surmontées de croix.

— Youpi !

— Tu te sens bien, mec, ou quoi ? demanda Zack.

— Cool mon vieux, ça va !

Les lèvres de Greg étaient bouffies et affreuses.

— Bon, calmez-vous maintenant, dit Madison en soupirant. Je vais chercher quelque chose pour fabriquer une pierre tombale pour Twinkles. Puis, nous lui dirons une belle prière. Vous devriez commencer à creuser.

Elle laissa son sac près de Zack et partit explorer l'autre côté du cimetière.

Zack marchait précautionneusement entre les rangs de tombes. À l'aide de la lampe de poche de Rice, il lisait les inscriptions sur les pierres tombales. Devant chaque nom, il y avait une abréviation se rapportant à un rang militaire bien particulier : sdt, maj, col, lt, gén *Ce sont tous des soldats,* réalisa-t-il. *Après tout, Twinkles aussi était un véritable homme de terrain*, pensa Zack.

Après avoir examiné le sol plus loin, il trouva l'endroit idéal pour enterrer le chien et commença à creuser.

Près du pick-up, Rice venait d'attacher Zoé à un poteau. Elle haletait sauvagement, étirant les bras en direction du garçon comme pour l'agripper, ouvrant et refermant les mains dans le vide. Rice sortit alors du ginkgo et se mit à en lancer des gélules dans la bouche de Zoé.

Il s'interrompit pour regarder l'arrière du camion, puis appela Zack :

— Mec, le camion équipé d'une sirène porte des plaques militaires ! Je me demande si nous ne serions pas plus près de la base aérienne que nous le croyons…

— Ouais, je pense que c'est un cimetière militaire, lui cria Zack. Que veut dire sdt d'après toi ?

— Soldat, répondit Rice.

Twinkles Miller. Petit chien soldat. Zack imagina ainsi l'épitaphe du chiot. Il jeta un coup d'œil vers la pelle plantée sur le monticule de terre, non loin des trois trous vides creusés dans le sol.

— Qui a bien pu creuser ces tombes à 2 h du matin ? lança Zack.

— Je n'ai aucune envie de le savoir, répondit Rice.

— Est-ce qu'il y a des clés dans le camion ? demanda Zack.

— Attends, je vais voir, répondit Rice.

Zack se remit à creuser sans lâcher Greg du regard. Ce dernier venait juste de déposer la batte de base-ball après un combat sans merci contre des zombies imaginaires :

— Ha, ho, en garde, zombies !

Puis, il se promena autour du mausolée, où il trouva ce qui ressemblait à un grand verre de soda. Sur le carton, la mascotte du chien saucisse lui faisait un clin d'œil.

— Hé, on a bouffé du BurgerDog par ici !

Après avoir placé ses lèvres autour de la paille, Greg se mit à aspirer bruyamment une longue gorgée du liquide tiède et sans bulles abandonné par le fossoyeur.

— Pas cool, mon pote. Si le Gregster ne peut avaler le chien, alors personne ne le peut.

Zack se mit à creuser plus vite. *Pourquoi Madison met-elle autant de temps* ?

Soudain, un plouf lourd et humide provenant des marches en marbre du mausolée retentit. Zack leva la tête pour regarder vers la tombe. Greg était en train de vomir. Il vomissait partout.

Madison tourna le coin de la voûte en pierre qui surplombait les lieux, en portant une pierre plate du désert. Greg se hissa et bascula devant elle. Zack planta sa pelle dans le sol pour filer voir ce qui se passait.

— Argh ! Je... meurs...

Madison recula d'un pas. La brute au visage pâle tangua et oscilla avant de s'effondrer à ses pieds. Elle s'accroupit et mit sa main sous la nuque de Greg.

— Oh, Greg, que s'est-il passé ? dit-elle.

— Je ne sais pas, éructa-t-il, ça doit être la Fée Clochette...

Greg transpirait énormément. Ses yeux étaient gonflés et ses paupières lourdes luttaient pour ne pas se fermer.

— Je m'en doutais, dit Zack. Madison, éloigne-toi de zombie Greg.

— Il n'est pas encore mort, dit Madison. Je n'abandonne pas quelqu'un sur son lit de mort… Beurk!

Greg grogna. Une bulle de morve lui sortit du nez et éclaboussa le dos de la main de Madison.

— Beurk, Zack, viens vite. Il est tout dégoulinant et… juste… Beurk!

Greg toussa et une grosse goutte de muqueuse grise lui coula sur le menton.

— Vite, elle va me tomber dessus, dit Madison en faisant référence à la bave visqueuse de Greg.

— Et que veux-tu que je fasse? dit Zack, s'agenouillant près d'elle.

— Lève tes mains, lui demanda-t-elle.

Zack obéit.

— Maintenant, tiens-lui la tête.

Et elle plaça la tête de Greg dans les mains de Zack en essuyant sur son jean la morve qui tombait.

— Je ne tiens pas la tête de ce garçon, dit Zack.

Mais Zack tenait bel et bien la tête de Greg, prenant soin du crâne avec une tendresse jamais égalée.

— Ne me laisse pas crever, vieux, lâcha Greg. Nous avons une énorme partie de soccer samedi prochain...

Ses yeux roulèrent vers l'arrière et son corps se relâcha.

— Seigneur ! Il vient de mourir. Qu'est-ce que je fais ? demanda Zack, complètement démonté.

Quelques instants passèrent, et Greg, finalement encore vivant, reprit connaissance.

— Zack, bredouilla-t-il en lui tendant le téléphone de Rice. Tiens, je ne l'avais pas vraiment balancé... Je voulais le garder pour moi... Ces trucs sont aussi épatants que la série télé...

Sans avoir le temps de finir, Greg s'évanouit à nouveau. Zack se leva et mit le téléphone dans sa poche. Il souleva Greg en le prenant sous les genoux, au-dessus de ses chaussettes de soccer.

— Allez, Madison, dit-il. Il faut que nous l'attachions avant qu'il ne se transforme en zombie. Attrape ses poignets.

Le corps de Greg se balançait lourdement entre eux alors qu'ils zigzaguaient en le portant entre les tombes. Se débattant difficilement avec le poids du corps, Madison finit par lâcher un bras, et la tête de Greg heurta le sol avec un bruit sourd.

— Il faut que je m'arrête, dit-elle en se frottant les mains.

— Pas maintenant, Madison ! insista Zack. Allez.

Avec difficulté, ils parvinrent de nouveau à soulever l'impressionnante masse musculaire de Bansal-Jones. À l'instant où les talons de Greg allaient toucher le sol, la bouche de Zack s'ouvrit tout grand. Il se trouvait soudainement face à une ombre énorme sortie de nulle part et qui assombrissait leur chemin.

— Hé, je croyais que nous ne nous arrêtions pas, s'indigna Madison.

Mais quand elle vit le visage de Zack, elle se retourna et laissa tomber sa moitié de carcasse. *VLAN !*

La chose ressemblait à un monstre de film de série B, constitué de chair zombie en décomposition et mesurant au moins 1 m 80. Il portait une sorte de bleu de travail, avec le nom LONGLY brodé sur sa poche de poitrine gauche.

Le visage de Longly avait plus ou moins disparu, s'écroulant le long des os de la joue en une avalanche de bouillasse. Une grappe de bubons poussait sur le côté gauche de son crâne. Sa bouche ouverte, aux mâchoires décrochées et pendantes, dévoilait une rangée de crocs jaunis. Il plongea.

Madison hurla et, s'écroulant sur place, tomba en arrière. Le bout de ses mains et les talons de ses chaussures s'enfoncèrent dans la saleté, pour ensuite disparaître dans un nuage de poussière.

Le colosse déformé, à la rigidité cadavérique, se plia en un spasme et planta ses crochets à viande autour d'une des chevilles de Madison. Éclipsée par l'ombre démesurément large du zombie, Madison donnait désespérément des coups de pied pour se dégager, mais la grande brute avait trop de force.

Sous le coup d'une soudaine impulsion, Zack lança en l'air la pierre tombale destinée à la tombe de Twinkles, comme s'il s'agissait d'un Frisbee. Elle atterrit directement sur la tête du zombie, le faisant virevolter et beugler. Madison réussit à se dégager de l'emprise de la créature en se tortillant.

Zack s'empara de la batte de base-ball, et, l'agrippant fortement, il la fit tournoyer autour de l'énorme fossoyeur zombie, tant et si bien qu'il finit par abattre le haut de la batte sur le fémur du monstre. Mais ce dernier continuait d'avancer, gesticulant comme un fou pour s'emparer de la savoureuse petite cervelle de Zack.

Il est trop grand, pensa Zack, incapable d'atteindre la tête du zombie bestial. Zack refit tournoyer sa batte, visant cette fois les genoux du monstre, imaginant qu'il pourrait ainsi le faire tomber pour l'atteindre plus facilement à la tête. Il regrettait la hache qui gisait, inutile, sur le sol du garage.

Puis, Zack envoya un tel grand coup de batte en plein milieu du corps du géant qu'il entendit ses tripes ballotter dans son ventre.

— La tête, Zack ! hurla Madison.

— J'essaie !

L'imposant croque-mort bondit soudain et passa à deux doigts de pouvoir presser le maigre cou de Zack dans ses grosses mains noueuses. Mais Zack, plus rapide que l'éclair, plongea entre ses jambes empotées.

Zack enjamba les marches en marbre pour sauter sur la balustrade en pierre du mausolée. Le mort-vivant se retourna et grogna de frustration. Mais Zack, déjà bien positionné, apparut juste au-dessus du géant zombie, la batte prête à frapper l'arrière de sa tête.

— Tu me vois bien là ? demanda Zack pour que le zombie tourne la tête en lui accordant un dernier regard. Eh bien maintenant, tu ne me vois plus.

VLAN ! Zack abattit l'objet en bois aussi fort que possible sur le crâne du zombie. Ce dernier défaillit et roula en boule en un tas d'os disloqués et de chairs mousseuses qui se répandirent sur le sol.

— Bien joué, Zachar-yy ! applaudit Madison.

Ils étaient tous deux tellement excités, qu'ils ne remarquèrent pas ce qui était en train de se passer non loin de là.

Greg se réveillait.

Zack sauta à terre et grimpa sur le poitrail du zombie vaincu. Il leva les bras en signe de victoire, mais fit ensuite rapidement marche arrière. Un seul coup sur la tête représentait tout juste une pichenette pour cette créature, et Zack n'avait aucune idée du moment où elle allait se réveiller.

De l'autre côté du cimetière, Rice s'était mis à courir. Il trottait aussi vite que ses petites jambes pouvaient le porter, agitant les bras et montrant quelque chose.

Alors que Madison félicitait chaudement Zack Clarke, le chasseur de zombies, le buste de Greg se releva, aussi raide qu'une planche. On vit l'ombre de sa silhouette penchée faire un mouvement brusque vers l'avant.

— Madison ! hurla Zack. Derrière toi !

Les doigts froids de zombie Greg s'enroulèrent autour de son mollet, tandis que Madison essayait de se dégager. Mais l'étau puissant de l'athlète était inébranlable.

— Au secours, je ne peux plus bouger ! s'écria Madison.

Tout en tirant sa tête vers l'arrière, zombie Greg se tordit le cou de côté. Rice se jeta sur Greg pour

balancer un grand coup d'épaule sur le sportif psychopathe revenu à la vie. Mais il ne pouvait décidément se mesurer à la force de la brute Gregster. Rice fut projeté au loin par Greg, qui planta les dents à l'arrière de la jambe de Madison, la mordant sauvagement.

— Aaaaïïïïïïeeee ! gémit-elle en s'écroulant.

Greg secouait violemment la tête d'un côté et de l'autre, comme un chien jouant à tirer sur un objet en caoutchouc. Il grognait et mâchait.

Zack se lança dans la bagarre pour donner un grand coup de batte, qui atteignit zombie Greg à la tempe. Bansal-Jones s'affaissa sur le sol. Trop peu, trop tard. Madison avait été mordue, et l'immense plaisir d'avoir atteint Greg à la tête avait maintenant un goût amer. Madison sanglotait, la tête sur le sol, sa jambe exposant une horrible entaille rouge. Rice se frottait la tête, sonné par sa chute.

— Allez, Rice, dit Zack. Aide-moi à la sortir d'ici.

Ils soulevèrent Madison, qui, choquée et tremblante, boitillait sur sa jambe valide. Elle passa les bras sur leurs épaules et ils parcoururent une bonne distance avant qu'elle ne s'effondre. Elle tomba au milieu d'eux pour s'étaler de tout son long, le genou replié, le sang coulant de sa jambe.

— Mince, Madison, ta jambe est dans un état ! s'exclama Rice.

— Tu n'aurais pas des pansements ou quelque chose comme ça dans ton sac ? demanda Zack.

— Peut-être que oui, peut-être que non.

— Bon, tu en as, oui ou non ?

— Bien sûr que j'en ai ! Mais elle va juste se transformer en ce que tu sais, Zack ! Ce serait gâcher du bon pansement... Elle sera bientôt notre ennemie. Tu as déjà oublié Twinkles ?

Les yeux de Madison se remplirent de larmes, mais elle mordit sa lèvre et respira profondément, pour essayer de surmonter la terrible douleur à sa jambe.

— Rice, dit Zack. Si tu ne lui bandes pas la jambe d'ici les 10 prochaines secondes, je lui raconte ton vice secret.

— Mais tu avais fait le serment du sang de ne jamais le dire à âme qui vive.

— Oui, mais d'après toi, elle n'est plus une âme vivante, elle est déjà zombie, si je ne m'abuse ? Madison, tu veux connaître le secret de Rice ?

— Bon, bon, bon, concéda Rice.

— Zack, dit Madison, en toussant de façon pathétique pendant qu'il entourait sa jambe de gaze. Pourrais-tu attraper mon sac ? J'ai si soif, je voudrais juste une goutte de quelque chose.

— Bien sûr, répondit Zack.

Il courut jusqu'au trou qu'il n'avait pas fini de creuser pour Twinkles. Il saisit le sac à main en oubliant ce qu'il contenait et fut surpris par son poids inattendu. Il en retira la pince-monseigneur et la jeta au sol. Il remit sa main dans le sac et sentit le corps tout raide de Twinkles, inondé par le cocktail super tonique VitalVegan qui avait coulé. Zack prit le chiot détrempé et le déposa à côté de la tombe à moitié creusée. Le pelage de Twinkles avait pris une teinte rose à cause du breuvage aux fruits qui s'était en partie déversé dans le sac à main de Madison.

Zack apporta le sac à Madison, qui touchait son bandage et gémissait de douleur. Il lui tendit la bouteille à moitié vide.

— Inutile de le nier, dit-elle, si cela n'avait pas été de ce chien, jamais je n'aurais été mordue. Je vais me transformer en zombie comme tout le monde maintenant. Je deviendrai laide, immonde et puante.

Elle avala une gorgée de boisson tiède.

— Écoute, je déteste devoir te dire ça, mais puisque tu dois te transformer en zombie, il faut que nous t'attachions de façon à ne pas être inquiétés du fait que tu reviennes à la vie, expliqua Rice de façon très prosaïque.

— Ne pourrions-nous pas simplement attendre qu'elle s'évanouisse ? demanda Zack.

— Non, Zack, il a raison, dit Madison. C'est la seule chose à faire. Je ne tiens pas à mordre l'un de vous deux et à vous infecter.

Une fois encore, Madison fouilla dans son sac et en sortit le fameux ruban à conduits.

— Ça fera l'affaire, indiqua-t-elle. Nous l'avons déjà testé sur Zack.

— Haha, très drôle, pouffa Zack sarcastiquement.

Rice étira le ruban pour attacher les chevilles de Madison ensemble. Après les pieds, il leva les yeux et dit :

— Voilà. Maintenant, tends les mains.

— Pas tout de suite, dit-elle en sortant de son sac un petit boîtier. Il faut d'abord que je dise au revoir à quelqu'un.

Elle ouvrit le poudrier d'un clic pour se regarder dans le miroir. Zack et Rice échangèrent des regards perplexes.

— Eh bien, mon visage, nous avons passé des super moments ensemble. Je n'arrive pas à croire que cela touche déjà à sa fin.

Tandis que Madison disait au revoir à chacun des traits de son visage, Rice se pencha et murmura à l'oreille de Zack :

— C'est normal ?

— Je ne sais pas vraiment, dit Zack. C'est vrai qu'elle est plutôt vaniteuse.

— Ouais, mais Greg aussi avait commencé à faire des trucs déments avant de devenir zombie.

— Tu as raison.

— Au revoir, menton.

Madison termina son discours d'adieu à son visage, et, renfrognée, elle fit la moue avant de relever les sourcils.

— Nous ne tenterons pas le diable, expliqua Rice. Il est temps d'attacher aussi tes mains, Madison.

— Pas trop serré, Rice, dit Madison en levant les poignets.

Zack s'éloigna en donnant un coup de pied dans la terre.

— Qu'est-ce que nous allons faire maintenant? demanda-t-il. Nous sommes coincés et probablement condamnés à devenir zombies nous aussi.

— Pas si coincés que ça, lança Rice en lui montrant le camion.

— Ha oui, j'oubliais que nous avons un camion sans ses clés. Et d'ailleurs même si nous les avions, nous ne pourrions pas le conduire, parce que nous sommes bêtement trop courts sur pattes. Rends-toi à l'évidence, Rice. Nous sommes cuits.

— Arrête un peu tes jérémiades, gros bébé, s'exclama Rice en bombant le torse. D'abord, nous allons nous occuper de zombie Greg et ensuite, nous trouverons les clés.

Il attrapa le ruban à conduits et prit le morceau de corde attaché à son sac.

Ils trottèrent jusqu'à l'endroit où zombie Greg gisait après s'être affalé en chien de fusil sur le sol.

— On dirait bien le même bon vieux Greg, non? s'enquit Zack.

Hormis quelques plaies ouvertes autour du front et sous l'œil, Greg avait l'air plutôt normal.

— Je suppose, répondit Rice. Mais laisse-lui une chance de se zombifier vraiment.

Ils se penchèrent pour s'occuper du corps couché sur le côté, de façon à le mettre à plat sur le dos.

— Cela aurait été tellement plus facile si tu l'avais simplement étêté.

— Je ne pouvais pas faire ça, dit Zack.

— Je sais, la végétalienne aurait pété un câble, répliqua Rice. Et d'ailleurs, Greg fera un super spécimen.

— Allez, Rice, dit Zack en soulevant les jambes de Greg. Emballe-le.

Rice enroula du ruban à conduits à plusieurs reprises autour de ses jambes. Ensuite, ils passèrent à ses genoux et terminèrent par les poignets.

— Joli travail, affirma Zack.

C'est seulement lorsqu'ils se tournèrent vers le mausolée que Rice aperçut pour la première fois la gigantesque créature étendue au sol.

— Celui-là est un sacré spécimen de zombie, mec ! proclama Rice.

— Les clés doivent être quelque part sur lui.

Zack avança et commença à donner des petits coups au zombie, le bougeant un peu avec la batte de base-ball. Il entendit le tintement métallique d'un trousseau de clés. L'anneau était attaché à un passant de la ceinture, juste sous la hanche du monstre endormi.

— Là, s'écria Zack. Essaie de l'atteindre par en dessous!

— Pas question, répliqua Rice. Je ne touche pas ce truc à mains nues. Il suffirait que j'aie une coupure microscopique sur la main pour être infecté par la bave.

— Vite, avant qu'il ne se réveille! dit Zack.

Il glissa la batte sous le zombie et fit un levier avec le manche de façon à ce que Rice puisse atteindre le passant de la ceinture.

En grimaçant pendant toute l'opération, Rice glissa ses mains sous la chair bulbeuse et malade afin de détacher les clés.

— Ça y est, je les ai !

Pris de haut-le-cœur, Rice se dégagea dans un bruit métallique. Il se redressa et brandit le trousseau de clés sous le nez de son ami.

— Alors, tu es content maintenant ?

La batte était toute gluante du pus du zombie, et Zack en lança une boule vers Rice.

— Tu es satisfait, là ? s'exclama Rice en s'essuyant la main sur la chemise de Zack.

— Peu importe, mon vieux, occupons-nous de Greg et filons d'ici.

Ils l'enjambèrent, et Zack nettoya la batte sur le maillot de soccer de Greg.

— Mince, comment allons-nous faire pour le porter ? interrogea Zack.

— Voilà, dit Rice, et il détacha la corde.

Il la tressa entre les jambes déjà bien attachées de Greg, la passa sur tout le devant de son corps, puis à travers les menottes collantes qui retenaient ses poignets au-dessus de sa tête. Rice saisit ensuite un bout de corde et tendit l'autre à Zack, qui l'enroula autour de sa main, et agrippa fermement l'aluminium du manche de la batte.

Marchant côte à côte, les deux amis traînèrent zombie Greg vers l'arrière jusqu'à Madison, que Zack s'attendait à trouver totalement zombifiée.

— Tu as bien les clés, c'est sûr ? demanda Rice.

— Ouais… mais comment allons-nous conduire sans Madison ?

— Aucune idée, mec. Nous trouverons.

Tout au bout du cimetière, Madison, assise, les appelait.

— Vous en mettez du temps les gars !

— Alors ? Tu te sens devenir un peu zombie ou quoi ? lui lança Rice. J'aimerais bien que nous partions d'ici.

— Non… j'ai plutôt envie qu'on m'ôte ce ruban à conduits, dit-elle. C'est vraiment inconfortable.

Elle essayait tant bien que mal de se dégager des menottes faites avec le ruban à conduits.

— Désolé, Madison, souffla Rice. Je ne peux pas. Trop risqué. Mais ne t'en fais pas, tu seras zombie très bientôt et tu n'en auras plus rien à cirer.

Zack et Rice lâchèrent la corde et se courbèrent, soufflant et transpirant. Le regard de Rice fila comme une flèche sur la dernière rasade que Madison était en train de tirer de son jus végétalien fraise-kiwi. L'air de rien, il approcha d'elle et s'empara de la bouteille.

— Rice, ne bois pas ça ! s'écria Madison. C'est ma toute dernière gorgée, à tout jamais, gémit-elle.

Il dévissa le bouchon et renifla.

— Ooh, fraise-kiwi... dit-il pour la tourmenter.

— Rice, s'il te plaît, implora Madison. Je suis en train de crever ici !

— Moi aussi ! rétorqua-t-il. Te rends-tu compte du poids de ce gars ?

— Tout ce que tu voudras, avec un zombie sur le gâteau, mais ça, c'est mon jus de fruits préféré de tous les temps, et c'est ma toute dernière gorgée !

— C'est quoi, ce truc, de toute façon ?

— C'est délicieusement magique, dit-elle, pathétique.

Rice fronça les sourcils et lut l'étiquette.

— Et quelle quantité de ce jus bois-tu ?

— Je n'en sais rien, du genre cinq à six bouteilles par jour ? répondit-elle.

Et alors, sans hésiter, Rice renversa la tête et but le contenu jusqu'à la dernière goutte.

— Rice, c'est la chose la plus minable que tu aies jamais faite ! cria-t-elle en se renfrognant.

— Ça va, laisse tomber, répliqua Rice. J'avais soif et d'ailleurs…

— Pas très sympa ça, mec, interrompit Zack, se rangeant

du côté de Madison. Quand même, c'était son dernier souhait...

— Non, pas du tout, dit Rice. Parce que ça n'aurait pas été sa dernière gorgée!

— Qu'est-ce que tu racontes? interrogea Zack.

Rice s'éclaircit la gorge, et, à la manière d'un vieux charlatan de médecines traditionnelles cherchant à vendre son élixir breveté, il récita :

— Un jus de fruits bio survitaminé, complètement naturel et bourré d'énergie. Renforcé avec bla bla bla... et du *ginkgo biloba* pour fortifier corps et cerveau.

Rice envoya la bouteille vide en l'air et fit un bond extraordinaire de cinq centimètres.

— Vous ne comprenez pas? Elle a bu tellement de ce produit qu'il l'a complètement immunisée.

— N'essaie pas de me donner de faux espoirs, Rice, dit Madison. Souviens-toi de ce qui s'est passé la dernière fois que tu as mis en pratique ta théorie du ginkgo, continua-t-elle.

— Mais c'était différent, Madison. Je n'essaie pas de t'asperger avec de l'eau de ginkgo cette fois. Pas la peine. Tu ne te transformeras pas en zombie. Je t'assure, ils peuvent t'arracher les boyaux un à un, tu es totalement non zombifiable à cause du ginkgo ! Je t'avais dit que ça marcherait.

Rice, les mains sur les hanches, levait le menton avec fierté.

— Attends une seconde, rétorqua Zack. Tu ne peux en être certain.

— Réfléchis, Zack. Elle est une végétalienne, à cent pour cent ginkgophage ! Elle ne mange probablement même pas de miel parce qu'une abeille est morte pour le fabriquer.

Madison acquiesça :

— C'est vrai, jamais !

— Elle est l'antithèse complète de tout ce qui se passe. Les zombies… le BurgerDog… Tout !

Ils marquèrent tous une pause, considérant l'hypothèse avec sérieux. Ensuite, fourrageant comme des fous dans le sac à dos, les garçons en extirpèrent du ginkgo, qu'ils avalèrent en gélules par poignées.

— Ça n'était peut-être pas forcément une bonne idée, indiqua Zack en recrachant la poudre amère.

— J'en ai une meilleure, dit Rice.

Il apporta une fiole de ginkgo auprès du corps sans vie de Greg et s'agenouilla. Il se mit à remplir la bouche du zombie de gélules de ginkgo.

— Aide-moi, Zack, il n'avale rien.

— Que veux-tu que je fasse? interrogea Zack, s'agenouillant à côté de Rice.

— Hummm, essaie de lui tenir la bouche fermée en lui pinçant le nez.

— Ça ne marchera pas, dit Zack. Il ne respire même pas.

— Dans ce cas, fais-lui rentrer les gélules de force dans la gorge, ou quelque chose comme ça.

— Je ne mets pas mes doigts dans sa bouche!

— C'est ton tour maintenant, mec. J'ai déjà mis ma main sous cette autre créature horrible!

— Bien, rouspéta Zack.

Il ferma les yeux et fourra les doigts profondément dans la gorge de Bansal-Jones. Il sentit une bouffée de vomi monter dans sa propre gorge et frissonna.

— Voilà, c'est fait.

— Bien, mon vieux, dit Rice.

— Vous allez finir par me détacher les gars, ou quoi ? cria Madison, qui perdait patience.

Zack sortit son couteau suisse et la délivra. Elle frotta ses poignets et étira sa jambe, ce qui la fit grimacer en raison de la douleur causée par le muscle de son mollet à moitié arraché.

— Tu vas pouvoir conduire, Madison ?

— Oui, je crois, dit-elle, étendant le genou. Aïïe… enfin, une fois arrivée au camion.

— Bon, dit Rice en rassemblant le matériel dispersé. Chargeons le véhicule et filons. Il faut atteindre la base militaire au plus vite. Madison pourrait être une réponse à la question de la pandémie !

— Et Twinkles ? interrogea Madison avec des yeux de chien battu. Nous ne l'avons pas enterré décemment.

— Pas de temps pour les enterrements, Madison, répondit Rice en fermant son sac.

— Mec, dit Zack.

— Quoi ? gémit Rice, les yeux au ciel et les bras levés.

— C'est la chose à faire.

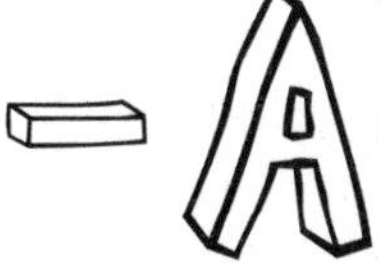

ttendez, lança Madison en reniflant. Où est passée la pierre tombale ?

— Oh flûte ! s'exclama Zack en se frappant le front. Elle est là-bas !

Il montra le géant allongé, toujours inconscient, devant la tombe.

— Hum, quelque chose me dit que nous n'en aurons plus besoin, indiqua Rice en désignant la tombe inachevée de Twinkles.

Essayant d'attraper sa queue, Twinkles était en train de tourner en rond.

— Twinkles est vivant ! s'esclaffa Madison, qui courait en boitant vers son précieux chiot.

Elle se pencha vers lui. Il grogna et s'accrocha de ses petites dents à sa main.

— Aïïïïïïe ! hurla-t-elle en balançant le chien sur le sol.

— Ça me fait de la peine de te le dire, Madison, mais ceci est un chien zombifié, dit Rice.

— Tu es sûr ? interrogea Madison, qui gardait une lueur d'espoir. Il pensait peut-être que j'étais juste un bon bifteck.

— Ouais, pourquoi pas, dit Zack. Et la lèvre de Greg, c'était un petit en-cas, c'est ça ?

— La bonne nouvelle, c'est que tu es immunisée, ajouta Rice.

— Mais *pas nous*, lui rappela Zack.

Il vida le sac de Madison et passa courageusement derrière le chiot zombie. Twinkles était si occupé à essayer de se dévorer lui-même

que Zack n'eut aucun mal à se jeter sur l'animal devenu fou. Il ferma d'un coup le sac à main de Madison, en laissant le chiot se débattre à l'intérieur.

— Alors, nous sommes prêts maintenant? demanda Rice en soupirant.

Madison et Zack acquiescèrent. Après quoi, Zack et Rice tirèrent ensemble zombie Greg par la corde, et Madison, qui portait sur l'épaule le sac contenant la petite créature capturée, les suivit en boitant.

Quand ils atteignirent le camion, ils découvrirent Zoé avachie sur le sol contre le poteau DÉFENSE D'ENTRER, auquel elle était toujours attachée. Ses yeux étaient grands ouverts, mais elle avait l'air figée, dans un état de stupeur inepte, incapable de bouger.

— Elle ne grogne plus, fit remarquer Zack.

— C'est sûrement à cause de tout le ginkgo que je lui ai fait avaler, suggéra Rice en descendant le hayon du pick-up. Je vous l'ai dit… l'ail antizombies.

Ils hissèrent Greg à l'arrière du camion.

— Crois-tu qu'elle va se tenir tranquille comme ça? demanda Zack.

— Je ne sais pas, mais il vaudrait mieux l'attacher par mesure de précaution, répondit Rice.

Madison jeta son sac contenant Twinkles sur le petit siège du milieu à l'avant du camion et se hissa tant bien que mal sur le siège du conducteur, pendant que Zack et Rice attachaient Zoé. Ils enroulèrent toute la longueur de la laisse autour d'elle jusqu'à ce qu'elle soit enveloppée comme une momie.

— Au moins, elle s'est montrée coopérative, pour une fois, plaisanta Rice.

Zack se fendit d'un sourire.

— Oh, j'allais oublier.

Zack mit la main dans sa poche.

— Greg voulait te rendre ça.

Il tendit l'iPhone à son propriétaire légitime. Le visage de Rice s'illumina.

— Merci, vieux!

Rice se retourna pour regarder le zombie ramolli.

— Cela ne m'empêchera pas de le détester.

Madison descendit sa vitre et sortit la tête.

— Vous ne pouvez pas vous asseoir devant tous les deux. Ma jambe a besoin de place.

— Prêt? demanda Rice

— Ouaip, répondit Zack en levant le poing.

— Roche, papier, ciseaux!

Rice cogna sa pierre sur les ciseaux de Zack.

— Roche, papier, ciseaux!

Zack couvrit la pierre de Rice avec sa feuille.

— Roche, papier, ciseaux!

Les ciseaux de Rice tranchèrent la feuille de Zack.

— Ouais! s'écria Rice. Youpi!

Il bondit à côté de Madison. Ils attachèrent leurs ceintures et il tendit les clés du fossoyeur à Madison.

— Nous allons de quel côté? demanda-t-elle.

— Il n'y a qu'une seule route, s'écria Rice.

Le vrombissement étouffé d'un hélicoptère se fit entendre quelque part dans le ciel. Rice et Madison se penchèrent pour voir à travers le pare-brise. L'hélico suivait la même direction que la route. Son gyrophare clignotait dans la nuit tandis qu'il piquait sur l'horizon pour passer derrière le sommet découpé des montagnes, pas très loin.

Attrapant la batte de base-ball, Zack grimpa à l'arrière du pick-up et ferma le hayon. Il s'accroupit entre sa sœur léthargique et zombie Greg.

— Allons-y ! Suivons l'hélico !

Madison fit vrombir le moteur et accéléra. Le camion fonça dans la nuit.

Un peu plus loin sur la route, les phares éclairèrent une nouvelle pancarte. C'était un grand rectangle soutenu par deux poteaux et indiquant : ZONE MILITAIRE : ACCÈS INTERDIT.

— Je t'avais bien dit que nous n'étions pas loin ! cria Rice à Zack, toujours à l'arrière.

Un kilomètre et demi plus loin environ, une luxuriante forêt de pins remplaçait la lande à perte de vue. Des gémissements de zombies s'intensifiaient à mesure qu'ils avançaient dans le couloir de verdure.

Greg se mit subitement à vomir. Zack resserra sa main sur le manche de la batte, prêt à balancer un autre coup pour l'assommer, mais Greg réagit en premier. Les gélules de ginkgo jaillirent du fond de sa gorge et aspergèrent Zack en plein visage.

Greg ouvrit les yeux.

— Je ne veux pas aller à l'école aujourd'hui, maman, geignit-il. Maman, qu'est-ce qui se passe ? Où suis-je ? C'est quoi tout ça ?

— Calme-toi, Greg, l'intima Zack.

— C'est qui, Greg ?

— C'est toi, répondit Zack, faisant glisser la petite vitre située entre Madison et Rice.

— C'est toi, Greg, dit Greg.

— Hé, les amis ? Greg a l'air de redevenir humain, mais je ne suis pas certain qu'il soit au courant. Nous pouvons nous arrêter, s'il vous plaît ?

— Qu'est-ce que tu veux dire par « Greg a l'air de redevenir humain » ? demanda Rice en se tournant vers l'arrière du camion.

— Arrête de m'appeler Greg ! insistait Greg.

— OK, mais comment veux-tu que nous t'appelions ?

— Pas Greg, répondit celui-ci.

— Bon, dit Rice. PasGreg alors.

— Vous allez me détacher ? demanda PasGreg.

— Pas question, rétorqua Zack.

Ils roulaient tout droit vers une pagaille de zombies.

Les morts-vivants sortaient de la forêt des deux côtés de la piste. Ils se bousculaient en trébuchant vers le camion et boitaient sur leurs chevilles tordues. Madison accéléra, mais les zombies étaient assez près pour s'accrocher aux côtés du véhicule. Zack se leva, armé de sa batte de base-ball.

— Ne les laisse pas monter, vieux ! lui cria Rice à travers la fenêtre coulissante.

Une paire de pattes de zombies bouffies et ramollies s'accrocha au camion. PasGreg fut pris d'une violente crise de larmes. Le zombie, après s'être hissé à l'arrière du pick-up, se redressa pour rugir comme un cinglé, en envoyant un jet de pus sur le visage de PasGreg. Zack fit tournoyer son arme avec force et entendit un bruit sourd au moment où la batte s'enfonça dans le crâne du zombie comme dans un melon trop mûr.

— Plus vite!

Zack aperçut les tours des radars qui pointaient au-delà des collines rocheuses, là où se terminait la forêt de pins et où le chemin de terre continuait.

— Nous y sommes presque!

La piste se resserrait pour devenir de plus en plus étroite en descendant la pente, donnant l'impression qu'ils allaient descendre sous terre. Passant sous un portail

en acier, le camion s'engouffra dans un tunnel. Des lumières fluorescentes clignotaient en bourdonnant au-dessus de leurs têtes. Tout à coup, Madison appuya sur les freins, et le pick-up s'immobilisa dans un crissement de pneus. Les phares avant éclairaient un nœud emmêlé de zombies qui bloquaient la route devant eux.

Saisis d'une appréhension soudaine, Madison et Rice se raidirent sur leur siège. Twinkles se tortillait à l'intérieur du sac de Madison. Zack essayait de garder son calme.

— Madison, dit-il, donne un coup de klaxon.

Elle klaxonna deux fois. Les zombies titubèrent dans leur direction.

— Maintenant, allume les feux clignotants et fais marche arrière.

Madison empoigna le levier de vitesse pour reculer lentement. La piste s'éclairait et s'assombrissait par à-coups. La horde de démons hideux et dérangés suivait le clignotement des feux du pick-up.

— Madison, garde cette vitesse lente, continua d'indiquer Zack. Il faut que nous les appâtions pour les entraîner dehors. Rice, mon pote, tu les comptes, et garde leur nombre en mémoire ; il ne faut pas qu'il en manque un. Règle en même temps le réveil de ton téléphone pour qu'il sonne dans une minute exactement, ordonna Zack.

— OK.

Rice s'exécuta instantanément et sortit le téléphone de sa poche.

— Règle la sonnerie aussi fort que possible, ordonna encore Zack.

Puis, il s'empara du téléphone.

— Zack, je fais quoi ? s'écria Madison. Nous sommes presque sortis du tunnel.

— OK, Madison, c'est important, dit Zack. Il faut que tu accélères d'un coup et que tu ailles te garer hors de leur vue. Après, tu couperas le moteur et les phares.

Madison remonta très vite la pente en marche arrière, et tourna au coin de l'entrée du tunnel. L'alarme du téléphone se mit en marche dans la main de Zack, qui lança l'appareil aussi loin que possible du tunnel. Le cellulaire tomba dans un nuage de poussière, en bipant à plein volume.

— Mec ! chuchota Rice en colère. C'est le plan le plus nul de tous les temps !

— Chuuuuuut... dit Zack en mettant un doigt sur sa bouche.

Les zombies titubèrent hors du tunnel, dépassèrent le camion sans le voir en suivant le bip de l'alarme, qui continuait de tinter au milieu du chemin. Comme les zombies se rassemblaient autour du téléphone, le sac à main de Madison arrêta de gronder et se mit à pleurnicher. Rice l'ouvrit avec précaution, et un petit chien tout penaud, mais ressemblant véritablement à un chiot, sortit la tête.

— Hum, les amis ?

Le regard de Rice passa de Zack à Madison, puis à Twinkles, et enfin à PasGreg.

— Si ce chiot va bien... si Bansal-Jones va bien... et s'ils ont tous les deux mordu Madison, cela ne peut vouloir dire qu'une seule chose.

— Que j'ai beaucoup de chance ? demanda Madison en soulevant Twinkles dans ses mains.

— Que tu es un antidote aux zombies ! s'exclama Rice, l'air émerveillé.

— Fantastique ! Attends, ça veut dire quoi exactement ? demanda-t-elle en fronçant les sourcils.

— Cela signifie que si nous te donnons en pâture à suffisamment de zombies…

— Ça ne va pas, non ? Sale binoclard ! railla Madison. Trouve-toi un autre antidote !

— D'accord, mais dans ce cas, il va falloir te cloner pour que les zombies puissent manger ton clone.

Twinkles aboya joyeusement.

— Tu vois, même Twinkles pense que c'est un bon plan.

Ouah ! *Ouah* !

Les zombies tournèrent la tête en chœur du côté du camion.

— Nous tenterons de comprendre plus tard de quoi il en retourne, mais pour le moment, il faut filer ! dit Zack en montrant les zombies.

Madison ralluma les phares pour faire partir le camion. Le moteur hoqueta et toussa.

— Il ne veut pas démarrer ! cria Madison en tournant plusieurs fois la clé dans le démarreur.

La foule enragée des zombies approchait d'eux lourdement.

— Maman, non !

PasGreg pleurnichait, roulé en boule, en maintenant ses genoux serrés contre la poitrine.

— Allez, Madison ! crièrent ensemble Zack et Rice.

— Ne me laisse pas tomber maintenant ! implora Madison en tournant à nouveau la clé.

En tête du troupeau de morts-vivants, le zombie le plus proche trébucha et s'agrippa au hayon du pick-up. Le camion fut pris de tremblements. Le moteur ronronna, et Madison, surexcitée, glapit en passant la première.

— En avant ! cria Zack. Vite !

Madison enfonça la pédale de l'accélérateur, ce qui projeta le zombie hors du pick-up au moment où ils s'enfonçaient dans le tunnel.

— Ouf, nous sommes passés près, non ? lança Zack à la ronde.

— Je veux ma maman… sanglotait PasGreg.

— Ça me fait de la peine de te le dire, P.G., cria Rice de l'avant, mais ta mère est zombifiée.

Greg se renfrogna et éclata en sanglots.

— Oh, mais ça rime !

— La ferme, Rice, s'exclama Zack en tanguant, ballotté de tous côtés dans la benne par les bonds que faisait le camion.

Les grognements des zombies disparurent alors qu'ils atteignaient un portail en métal argenté qui ressemblait à la porte d'un vaisseau spatial.

— Parfait, dit Madison. Tout ça juste pour nous retrouver au fond d'un cul-de-sac !

Mais elle se trompait.

Derrière le rétroviseur, un feu passa au vert. Le tunnel vibra et le portail en métal se souleva.

— Laissez-passer, dit Rice. Joli !

Madison guida le pick-up à l'intérieur du tunnel souterrain, tandis que le portail se refermait lentement derrière eux. Zack, accroupi pour mieux garder son équilibre, regardait à travers la vitre de la cabine. Dans le tunnel sombre, le bruit de brusques rafales de coups de feu crépitait à travers le plafond du tunnel, comme celui d'un feu d'artifice distant.

À cet instant, Twinkles lécha le visage de Zack.

— Merci de m'avoir sauvé Zachary, dit Rice en faisant comme si c'était la voix de Twinkles. Tu es mon héros favori de tous les temps !

— Arrête ton cirque, Rice, dit Zack. Tu entends ces coups de feu ? Ils n'ont pas l'air de faire semblant par ici.

Twinkles se tortillait afin de se dégager des mains de Rice.

— Détends-toi, vieux ! Nous avons réussi. Nous avons la formule secrète. Tout roule.

Zack examina la jambe de Madison. Une tache rouge s'étendait sur le bandage. *L'antidote*, pensa Zack. *C'est Madison, le médicament.*

Les pneus grinçaient lentement sur le revêtement strié, poussant et braquant le faisceau des phares dans l'obscurité.

Zack observa Madison qui se pomponnait dans le miroir. Elle le surprit et lui tira la langue, puis tordit son visage en un rictus clownesque. Elle souriait.

Zack rit sous cape avant de lui sourire à son tour. En dépit de cette révélation, il ne pouvait se départir du sentiment que tout ne faisait que commencer.

SUR QUELS DÉMONS DÉVOREURS DE CERVEAUX LES CHASSEURS DE ZOMBIES TOMBERONT-ILS LA PROCHAINE FOIS ?

TOME 2

TOURNEZ LA PAGE POUR AVOIR UN APERÇU DU PROCHAIN ÉPISODE DES CHASSEURS DE ZOMBIES, MORTS-VIVANTS, DROIT DEVANT.

Zack Clarke, toujours debout à l'arrière du pick-up depuis qu'il avait fuit les zombies, écoutait son pouls battre à cent à l'heure. Les lampes halogènes vrombissaient au-dessus de leurs têtes tandis que le camion avançait dans la lueur vacillante qui éclairait le tunnel souterrain.

L'épidémie zombie avait éclaté hier à l'heure du souper et se répandait à travers le pays d'heure en heure.

Pour le moment la sœur de Zack, Zoé, devenue zombie; son meilleur ami, l'autoproclamé expert en zombies, Johnston Rice, qui avait réussi à trouver l'antidote à la zombification ; Greg Bansal-Jones, la terreur de tout le collège, qui, après une brève zombification, s'était transformé en poule mouillée et insistait pour qu'on ne l'appelle *pas* Greg ; et Madison Miller, la fille la plus populaire de l'école Romero, qui demeurait leur seul espoir de survie, s'aventuraient sous la base aérienne militaire de tucson .

PasGreg se trémoussait pour essayer de s'écarter de zombie Zoé, totalement abrutie par des gélules calmantes de ginkgo biloba que Rice lui avait fait absorber un peu moins d'une heure auparavant.

— Hé, mec, geignit PasGreg. Tu vas me détacher maintenant ?

— Seulement si tu te tiens tranquille, répondit Zack en sortant de sa poche arrière un couteau suisse pour trancher le ruban à conduits qui entravait les poignets de PasGreg.

L'ex-brute ferma une fermeture éclair imaginaire sur sa bouche avant de jeter au loin une clé fictive.

Je n'arrive pas à croire que j'aie pu avoir peur de ce type, pensa Zack en regardant à l'intérieur de la cabine du camion. Du sang frais suintait au travers de la gaze enroulée autour de la jambe de Madison, là où zombie Greg lui avait fait cadeau d'une méchante morsure. Rice, assis à l'avant sur le siège passager, tenait le tout petit chien de Madison sur ses genoux. Twinkles, les pattes avant posées sur le tableau de bord, semblait heureux d'être de nouveau en vie, après avoir connu une période zombifiée.

— Comment va ta jambe ? s'enquit Zack.

— Ça va, je crois, répondit Madison. Ce qui ne m'empêchera pas de tuer Greg.

— Tu veux dire PasGreg.

— Qu'importe !

— Ah, dit Rice. Être Greg ou ne pas l'être? Là est la question.

— La ferme, hamburger à lunettes, personne ne t'a sonné, lui lança Madison d'un ton las.

À cet instant, Twinkles donna un petit coup de museau sur le sac à dos de Rice en reniflant les spécimens fétides qu'il contenait. L'estomac de Zack se retourna à la seule pensée du bœuf haché contaminé du BurgerDog qui palpitait à l'intérieur.

— Ouah ouah, aboya le chiot affamé.

— Hé, ralentis, Madison! dit Zack à travers la fenêtre coulissante.

Le camion freina et s'arrêta.

Sur leur droite, le tunnel débouchait dans une vaste salle divisée en deux par une zone de chargement. Des barils jaunes de produits biologiques dangereux étaient alignés au pied de hauts murs en ciment. Une éclaboussure rouge et épaisse de crasse de zombie tachait la grille carrée en métal recouvrant un drain d'évacuation au centre de la pièce. La marque sanglante s'étendait en une traînée courbe qui ressemblait à un «j» minuscule. On distinguait des traces de pas irréguliers autour de la marque visqueuse et colorée, comme si des zombies s'étaient relevés après avoir rampé.

L'endroit avait des relents infects de maladie. Zack se boucha le nez. Quelque chose était certainement pourri au royaume de Tucson.

— Hiiiiiii !

Tout à coup, PasGreg laissa échapper un cri strident et attrapa le mollet de Zack.

Zack tourna brusquement la tête.

Un soldat zombifié, accroché à l'arrière du camion, grimpait sur le hayon. Le militaire mort-vivant ouvrait grand sa gueule de zombie, tissée de fils de bave comme une toile d'araignée. Il rugissait et se pourléchait les babines en agitant une langue de chien enragé.

— Accélère, Madison ! ordonna Zack.

Au même instant, deux autres soldats zombies escaladaient les flancs du camion. Ils culbutèrent sur la plateforme du camion avec Zack, PasGreg et zombie Zoé. Leurs membres de travers formaient des angles impossibles, comme ceux d'une araignée à moitié écrasée.

Le pick-up s'élança à toute vitesse.

— Zack ! cria Rice de l'intérieur du camion en lui tendant un pied-de-biche en métal. Sers-toi de ça !

Zack lança l'outil métallique sur le soldat zombie, le cognant entre ses deux orbites vides. Le hayon s'ouvrit, et le fou furieux sans yeux s'écroula dans un gros floc sur le sol fuyant du tunnel.

— Aarrggh ! grondèrent les deux autres zombies.

Zack fouilla frénétiquement le plateau arrière du camion pour y trouver une autre arme. Il récupéra la base en bois de sa batte.

Plus loin sur la plateforme, un des zombies rampait sur ses genoux disloqués en direction de PasGreg. L'ex-petite brute se recroquevillait dans un coin près du hayon ouvert, en se protégeant de ses bras repliés, aussi gros que ceux d'un tyrannosaure.

Mais Zack était aux prises avec d'autres difficultés.

Le deuxième zombie trébucha vers l'avant en haletant et tomba sur lui de tout son poids. En un éclair, Zack plaça la batte à l'horizontale. Les oreilles lui chauffaient pendant qu'il tentait de soulever le zombie. Des grappes

coagulées de bulbes variqueux et infectés sortaient du menton du forcené, et des stalactites de morve jaune-vert pendaient au coin de ses lèvres à vif, toutes boursouflées. Le mort-vivant en furie grognait, et Zack sentit que son épaule était prête à lâcher. Une boule de pus se détacha et glissa de la joue du zombie jusque dans le coin de la bouche de Zack.

Beeurk!

Zack se souleva en usant de toute la force qui lui restait, tandis que le monstre baveux basculait en

arrière, luttant pour retrouver son équilibre. Debout, Zack tenait sa batte solidement, prêt à frapper.

Soudainement, Madison cria de sa voix aiguë. Le pick-up fit une embardée avant de s'arrêter net.

Zack tomba à la renverse, se cognant le crâne contre la plateforme du camion dans un terrible *paf.*

— Nom d'une pipe, Madison ! Pourquoi as-tu freiné comme ça ? demanda Rice.

— Tu n'as pas vu ? s'enquit-elle. Une personne vient juste de sauter devant nous.

— Les zombies ne sont pas des personnes, Madison.

— ça n'était pas un zombie, cervelle de rat… c'était une sorte de petit soldat humain !

Zack, les oreilles lui tintant encore à la suite du choc, s'affaissa en position assise. Sa vision se brouilla, sa tête roula sur le côté et son regard plonga tout droit sur Zoé. Les yeux sans pupilles et basculés vers l'arrière de sa sœur zombie le fixaient derrière la cage en métal de son casque.

Et juste à cet instant, dans un claquement de doigts, Zack s'évanouit. Tout simplement.

remerciements

Ce livre n'aurait pu exister sans la contribution des personnes suivantes : Sara Shandler, Josh Bank, Katie Schwartz et l'équipe éditoriale d'Alloy Entertainment, ainsi qu'Elise Howard et Rachel Abrams des Éditions HarperCollins.

Je souhaite également remercier ma mère et mon père, ainsi que toute ma famille et mes amis, en particulier la famille Hahn, pour leur amour et le soutien qu'ils m'ont apportés pendant la réalisation de ce projet.

—J. K.

JOHN KLOEPFER a commencé sa carrière d'écrivain à l'âge de cinq ans avec cette histoire courte d'une seule phrase: « Et c'est alors qu'un jour, les monstres surgirent. » Les chasseurs de zombies est son premier roman. Il vit à New York.

STEVE WOLFHARD est né en Ontario, au Canada, et il crée des bandes dessinées depuis qu'il a obtenu son diplôme universitaire en animation. Steve a un gros chat nommé Haircut qu'il aime bien, mais sans plus. Le premier film de zombies vu par Steve, Le Retour des morts-vivants, lui flanque toujours une trouille bleue.

www.ada-inc.com
info@ada-inc.com